Maupassant

Passion voilier
Pere absent
Quand il était jeune
Il a été emmené
à Etretat et
Yvetot. élève
indiscipliné.
Elements
marquant l'a
inpiré
Flaubert lui apprend
à écrire comme un
ecrivain
La guerre contre
la Prusse l'inpira aussi
La Seine aussi
Il a développé la
Syphillis en 1876, il
contracte de plus
en plus de symptômes.
1880, Flaubert meurt
Sa mort va affecter
Maupassant et ça
va se voir dans

Ses livres
Avec le Horla,
on voit que
Guy commence
à ne pas bien
aller.
Il voit son
double
Il a pris
des choses de
morphine. Il
a persévéré et
il a sorti un
autre roman
Dans la folie,
Maupassant à
juré qu'il allait
se tuer

Le Horla
et autres contes fantastiques

ÉTONNANTS•CLASSIQUES

MAUPASSANT

Le Horla
et autres contes fantastiques

Présentation, notes, dossier et cahier photos par
Grégoire SCHMITZBERGER,
ancien élève de l'ENS rue d'Ulm, agrégé de lettres classiques

Flammarion

**De Maupassant
dans la collection «Étonnants Classiques»**

Bel-Ami
Boule de suif
Le Papa de Simon et autres nouvelles
La Parure et autres scènes de la vie parisienne
Pierre et Jean
Toine et autres contes normands
Une partie de campagne et autres nouvelles au bord de l'eau

© Éditions Flammarion, 2014.
ISBN : 978-2-0813-1479-5
ISSN : 1269-8822

SOMMAIRE

▦ **Présentation** 9

Le Horla, genèse   9
Le XIXe siècle, ère du rationnel?   15
Le fantastique   21
Six récits d'angoisse   24

▦ **Chronologie** 29

Le Horla
et autres contes fantastiques

Le Horla   39
Un fou?   73
Lui?   81
La Peur   91
La Main d'écorché   99
Qui sait?   107

▦ Dossier 123

Questionnaire de lecture   125
Parcours de lecture sur « Le Horla »   126
Travaux d'écriture   130
Groupement de textes n° 1 : la genèse du « Horla »   131
Groupement de textes n° 2 : textes théoriques sur
    le fantastique   138
Groupement de textes n° 3 : la folie dans la littéra-
    ture du XIXᵉ siècle   145
Histoire des arts   156

Le Horla, genèse

Maupassant, de la réalité à la fiction

Guy de Maupassant naît le 5 août 1850 en Normandie, probablement à Fécamp. Il est le fils aîné de Gustave de Maupassant et de Laure Le Poittevin, une amie d'enfance de l'écrivain Gustave Flaubert (1821-1880). Ses parents ne s'entendent pas et, avec son jeune frère Hervé, il assiste à des scènes de ménage parfois violentes, qui aboutiront à la séparation du couple en 1860. D'un côté, Gustave est un homme volage, un rentier oisif plus enclin aux plaisirs qu'au travail, de l'autre, la mère de Maupassant souffre d'une pathologie mentale qui la conduit peu à peu à des états hystériques[1] et névrotiques[2] ; elle s'enferme dans des pièces sombres et abuse de narcotiques[3]. Elle fera une tentative de suicide en essayant de s'étrangler avec ses cheveux.

C'est pendant sa jeunesse normande que Maupassant développe son goût de l'écriture, prenant pour mentors le poète

---

1. *Hystériques* : qui relèvent de l'hystérie, une pathologie causant des crises émotionnelles accompagnées de troubles physiques comme la paralysie ou la cécité.

2. *Névrotiques* : qui relèvent de la névrose, trouble du comportement qui a ses racines dans l'inconscient.

3. *Narcotiques* : substances qui provoquent le sommeil.

Louis Bouilhet (1822-1869) et Flaubert. Après avoir quitté sa région natale pour gagner Paris, où il effectue son droit et obtient un poste au ministère de la Marine et des Colonies (en 1872), Guy continue à fréquenter l'auteur de *Madame Bovary*. Dès qu'il le peut, il se rend chez son maître, à Croisset, non loin de Rouen, et lui fait lire ses nouveaux textes. L'écrivain confirmé conseille le jeune auteur, le corrige et lui interdit de rien publier avant de maîtriser parfaitement son art. Par ailleurs, il présente Maupassant à de grands auteurs de son temps, notamment Zola, les Goncourt et Tourgueniev[1]. Guy participe en 1880 au recueil collectif *Les Soirées de Médan*, qui fait aujourd'hui figure de manifeste du naturalisme[2] : la nouvelle qu'il y fait paraître, «Boule de suif», rencontre immédiatement le succès. Flaubert, qui meurt cette année-là, qualifie le texte de Maupassant de «chef-d'œuvre». Désormais connu du public et de la presse, l'écrivain quitte son poste de fonctionnaire et participe à plusieurs journaux, où il publie des contes, des nouvelles et des chroniques. Plus tard, jugeant la démarche des naturalistes trop systématique, Maupassant prend ses distances avec ces auteurs dont l'engagement politique, moralisant à l'excès, est devenu pesant pour lui, qui rêve d'horizons plus larges. Une citation célèbre de la préface de *Pierre et Jean* (1887) révèle le parti pris esthétique défendu par le fils spirituel de Flaubert :

---

1. *Émile Zola* (1840-1902), écrivain et journaliste français, auteur de la série *Les Rougon-Macquart* qui comprend notamment *L'Assommoir* et *Germinal*. *Edmond* (1822-1896) *et Jules de Goncourt* (1830-1870) : écrivains français, auteurs de *Germinie Lacerteux*. *Ivan Tourgueniev* (1818-1883) : écrivain, nouvelliste et dramaturge russe, auteur de *Père et fils* (1862).
2. *Naturalisme* : mouvement dans lequel se reconnaissent les auteurs qui cherchent à donner une image fidèle de leur société, en suivant une démarche scientifique et en se documentant très précisément sur les sujets qu'ils abordent. Émile Zola est le chef de file de ce mouvement, auquel appartiennent également les Goncourt.

«Faire vrai consiste [...] à donner l'illusion complète du vrai, suivant la logique ordinaire des faits, et non à les transcrire servilement dans le pêle-mêle de leur succession. J'en conclus que les Réalistes de talent devraient plutôt s'appeler des Illusionnistes[1].»

Deux aspects caractérisent l'œuvre de Maupassant : le réalisme d'une part (ses récits peignent très fidèlement la société de son époque), la curiosité qu'il développe pour les troubles nerveux et psychologiques et le fantastique d'autre part.

La fascination de Maupassant pour la folie et les fous ne laisse pas de troubler le lecteur d'aujourd'hui. Elle transparaît à de nombreuses reprises dans son œuvre : ainsi, le narrateur de la nouvelle «Madame Hermet» (1887) déclare : «[r]ien ne sert de se pencher sur l'esprit des fous, car leurs idées les plus bizarres ne sont, en somme, que des idées déjà connues, étranges seulement, parce qu'elles ne sont plus enchaînées par la Raison. [...] Pourtant les fous m'attirent toujours, et toujours je reviens vers eux, appelé malgré moi par ce mystère banal de la démence[2]».

Cet intérêt pour les troubles psychiques reflète les propres angoisses de Maupassant, qui a contracté la syphilis, une maladie sexuellement transmissible qui attaque lentement le système nerveux. Cette pathologie touche d'autres membres de sa famille : atteint de la même maladie, son frère Hervé est interné à deux reprises, une première fois en 1887, puis une seconde en 1889, dans l'asile de Lyon-Bron, où il meurt fou après avoir assené à Guy : «C'est toi qui es fou, tu

---

1. Guy de Maupassant, «Le Roman», *Pierre et Jean*, éd. N. Benhamou, Flammarion, coll. «Étonnants Classiques», 2014, p. 53.
2. Guy de Maupassant, «Madame Hermet», *Œuvres complètes. La Main Gauche*, L. Conard, 1910, p. 255.

m'entends[1]!» À cette époque, Maupassant souffre surtout de terribles migraines et de troubles oculaires. Il est même momentanément atteint d'une cécité partielle. Pour soulager ses douleurs, il consomme différentes drogues dont l'éther; loin d'améliorer sa santé, les stupéfiants aggravent ses troubles psychiques. En 1890, il écrit : «Je suis de la famille des écorchés; mais cela, je ne le dis pas, je ne le montre pas, je le dissimule même très bien, je crois[2].» De la même manière, on peut lire dans la nouvelle «Sur l'eau» ces mots à la résonance toute personnelle : «En certains jours, j'éprouve l'horreur de ce qui est jusqu'à désirer la mort... En certains autres, au contraire, je jouis de tout à la façon d'un animal[3].» Cette souffrance mentale est telle qu'il tente de se suicider, le 1er janvier 1892. À la suite de cet événement, il est interné le 7 janvier à la clinique du docteur Blanche, à Passy (aujourd'hui dans le 16e arrondissement parisien). Maupassant y meurt le 6 juillet 1893.

Bien qu'importants, ces troubles psychiques n'ont marqué que les dernières années de la vie de Maupassant. Quand il rédige «Le Horla» (1887), l'écrivain possède encore toutes ses capacités intellectuelles et artistiques. Il serait donc erroné de confondre l'auteur et le narrateur de la nouvelle. De même, Maupassant ne décrit pas son état quand il brosse le portrait de fous en pleine crise de délire. À travers ses écrits, il parle de ses angoisses, des hantises que lui causent ses souffrances et celles de ses proches. Ses récits ne constituent pas un autoportrait, mais plutôt, peut-être, une forme de thérapie, qui lui permet pour un temps de

---

1. Cité par Armand Lanoux, *Maupassant le Bel-Ami*, Grasset, coll. «Les Cahiers rouges», 1995.
2. Guy de Maupassant, «À une inconnue», 1890, cité dans Albert Lumbroso, *Souvenirs sur Maupassant*, Genève, Slatkine, 1981, p. 223.
3. Guy de Maupassant, «Sur l'eau», *Contes et nouvelles*, Albin Michel, 1956, t. I, p. 85-86.

combattre sa peur de perdre la raison. L'évolution du texte du
«Horla», dont on détient trois versions, témoigne de celle de
l'état de Maupassant, de plus en plus angoissé par la folie.

Les trois versions du *Horla*

Habituellement, on désigne sous le titre «Le Horla» la nouvelle parue en 1887 et adoptant la forme du journal intime.
C'est celle que nous donnons à lire dans le corps de cette édition.
Mais deux textes en forment en quelque sorte des ébauches :
«Lettre d'un fou» (1885), une lettre adressée à un médecin par
un homme qui prétend qu'une créature le hante, et «Le Horla»
(1886), récit où, lors d'une réunion dans une maison de santé,
le patient d'un certain docteur Marrande raconte le plus précisément possible comment il s'est aperçu de la présence d'un être
invisible dans sa maison[1]. Ces trois versions sont à la fois
proches et différentes. Dans le premier texte, la créature n'est
pas nommée, et la nouvelle relate principalement l'épisode du
miroir, tel qu'on le retrouve dans les versions de 1886 et de
1887. La forme de la lettre adressée par le narrateur à un docteur met à distance le lecteur, spectateur de l'inquiétude que
procure au personnage la présence d'un être inconnu et non
identifié. Il en va de même pour la version de 1886, qui recourt
à la forme du récit enchâssé : les phénomènes surprenants rela-
tés par le patient qui les a vécus aux collègues du docteur Marrande sont rapportés au sein d'une discussion entre ce dernier
et ses collègues. De plus, le malade livre son histoire aux médecins *a posteriori*, de façon apaisée et lucide. En revanche, par sa
forme de journal intime, «Le Horla» de 1887 ne ménage pas le
lecteur, qui vit les angoisses du personnage principal au même

---

1. Voir les extraits de ces deux nouvelles dans le dossier, p. 131-137.

rythme que celui-ci. Entraîné par les doutes, les hantises, les peurs, les fantasmes et les désirs de ce dernier, il s'interroge sur sa santé mentale en même temps que lui.

Ces différentes versions recourent toutes au même cadre : un narrateur anonyme, maître de maison, entouré de domestiques, obnubilé par ses sensations. Mais d'un texte à l'autre l'évolution du registre est sensible : le titre « Lettre d'un fou » ne laisse aucun doute quant au trouble psychique dont souffre le narrateur du récit, qui ressortit à la veine réaliste ; « Le Horla » de 1886 emprunte à la science-fiction, puisque les personnages concluent que le successeur de l'être humain est arrivé, sous la forme du Horla. Dans la version de 1887, le récit se tient, lui, dans un entre-deux. L'auteur ne donne pas au lecteur la possibilité de choisir entre une interprétation rationnelle des faits (le narrateur est fou) et une interprétation irrationnelle (la présence avérée d'un être surnaturel). Certains éléments peuvent convaincre de la démence du personnage principal : ses visions, le caractère de plus en plus déconstruit de sa syntaxe, sa tentative de tuer le Horla qui le pousse à abandonner ses domestiques dans sa maison en feu. D'autres plaident pour sa lucidité : les tests auxquels il procède pour s'assurer de la présence du Horla, ou même la séance d'hypnotisme à laquelle il assiste. Le narrateur du « Horla » serait alors aux prises avec des forces insoupçonnées, lesquelles font l'objet de recherches scientifiques dans les années 1880.

Le XIXᵉ siècle, ère du rationnel?

En cette fin de XIXᵉ siècle, et dans un contexte politique agité[1], de nouvelles conceptions du monde et de nombreux courants de pensée se font jour qui, tout en laissant une grande place au rationalisme, s'intéressent à l'occultisme[2] et au paranormal[3].

Tandis que la France connaît une période de renouveau industriel (elle développe de nouveaux secteurs de production tels que le chemin de fer, l'automobile, l'électricité), la vulgarisation scientifique s'efforce de rendre plus accessible ces avancées techniques et contribue à les faire accepter par le public. La philosophie du penseur français Auguste Comte (1798-1857) participe de ce mouvement, en faisant du progrès un aspect central de la société. Les évolutions de la médecine et la pensée hygiéniste[4] font croire à la possible fin des maladies et des troubles physiques.

---

1. Pendant tout le XIXᵉ siècle, la France voit se succéder plusieurs régimes (République, Premier Empire, monarchie absolue et parlementaire, IIᵉ République, Second Empire). À partir de 1870, la République s'installe définitivement, mais elle fait face à deux crises : l'insurrection de la Commune de Paris en 1871 et les projets de coup d'État du général Boulanger en 1887. Cette instabilité met à mal la foi de la société dans la République et favorise l'émergence de nouveaux courants de pensée.
2. *Occultisme* : ensemble de connaissances qui ne sont reconnues ni par la science ni par la religion, et qui sont tenues secrètes pour les non-initiés.
3. *Paranormal* : ensemble des phénomènes que les lois scientifiques ne peuvent pas expliquer et qui supposent l'intervention de forces inconnues.
4. *Hygiéniste* : qui relève de l'hygiénisme, courant de pensée du XIXᵉ siècle qui met la prévention des maladies au cœur des préoccupations politiques, notamment de l'urbanisme.

Toutefois, la théorie de l'évolution qui s'exprime dans l'œuvre de Darwin[1], traduite en français dès 1862, entame cette vague d'optimisme. En formulant l'hypothèse selon laquelle toutes les espèces vivantes auraient une ascendance commune, le naturaliste anglais fait de l'homme une créature animale dont l'évolution répond au principe de sélection naturelle, et remet ainsi en cause l'idée d'une transcendance, autrement dit d'une force divine, créatrice de l'homme et de l'univers. Les hommes se découvrent plus ignorants, perdus et petits dans un monde qu'ils ne maîtrisent pas.

C'est dans ce contexte que, en 1870, le neurologue français Jean Martin Charcot (1825-1893) commence ses grands travaux sur la folie. En 1882 il obtient la chaire de clinique des maladies nerveuses à l'hôpital de la Salpêtrière, à Paris. À la même période, l'école de Nancy[2] développe la psychothérapie. Si les deux «écoles» adoptent une approche différente, elles font de la folie un objet d'étude relevant d'un domaine proprement médical et non plus du sacré[3] ou du poétique. Le fou devient un patient, atteint de troubles plus ou moins importants et susceptible d'être soigné (que sa folie soit curable[4] ou non). On s'apprête à abandonner les traitements de choc réservés

---

1. *Charles Darwin* (1809-1882) : naturaliste anglais, auteur de *Sur l'origine des espèces au moyen de la sélection naturelle*. Il y soutient que seuls les animaux les plus adaptés à la survie dans leur milieu transmettent leurs caractéristiques à leurs descendants (théorie de la sélection naturelle) et qu'ainsi les espèces animales évoluent au fil des siècles (théorie de l'évolution).

2. L'*école de Nancy* réunit le professeur de médecine Hippolyte Bernheim, le juriste Jules Liégeois et le médecin Henri Étienne Beaunis, qui recourent à des séances d'hypnose pour le traitement de maladies mentales. À partir de 1903, l'école développe la psychothérapie.

3. Jusqu'à la fin du Moyen Âge, on considère que les fous sont possédés par des démons, que l'on peut chasser par l'exorcisme. Cette pratique persiste jusqu'au XIXe siècle : Maupassant décrit une cérémonie d'exorcisme dans la nouvelle «Conte de Noël».

4. *Curable* : guérissable.

jusque-là à ceux qui sont qualifiés de «fous» (bains d'eau glacée, chocs émotionnels provoqués, etc., toutes des pratiques douloureuses et peu efficaces), pour leur préférer des soins plus adaptés, reposant sur les récentes avancées scientifiques. On identifie différents cas cliniques parmi ce que l'on considérait jusque-là relever d'une pathologie unique : les hystériques sont ainsi distingués des maniaques[1] ou des névrosés. Les travaux menés par Charcot et par ses contemporains ouvrent la voie à de nombreuses investigations, qui conduiront Sigmund Freud (1856-1939), médecin neurologue autrichien, à formuler sa théorie de la psychanalyse dans les années 1890. Celle-ci fait la part belle aux manifestations de l'inconscient. Freud considère qu'un individu refoule un certain nombre de pensées, de sentiments, d'expériences vécues, mais que ceux-ci finissent par reparaître, que ce soit dans des actes manqués[2], des rêves ou des comportements considérés comme anormaux. Il développe aussi l'idée d'«inquiétante étrangeté» (*das Unheimliche* en allemand), qui décrit le malaise né d'une rupture dans un quotidien on ne peut plus ordinaire, d'un décrochement de la banalité.

Après avoir dénigré les travaux de Charcot à une époque où il ne s'intéressait pas encore à la folie[3], Maupassant suit ses cours à la Salpêtrière, de 1884 à 1886. Dans le discours du narrateur du «Horla», on retrouve aisément certains traits des patients du docteur. Le narrateur a l'impression d'être attaqué par une créature qui vient lui prendre son souffle de vie et l'étouffer : «*25 mai*. [...] Je dors – longtemps – deux ou trois

---

1. *Maniaques* : sujets à des états de surexcitation.
2. *Actes manqués* : oublis ou maladresses qui semblent dus à une distraction, mais qui satisfont en réalité un désir inconscient.
3. «Il me fait l'effet de ces conteurs dans le genre d'Edgar Poe, qui finissent par devenir fous à force de réfléchir à d'étranges cas de folie», écrit-il au sujet de Charcot dans «Magnétisme» [1882], *Le Horla et autres contes d'angoisse*, éd. A. Fonyi, GF-Flammarion, 1984, p. 159.

heures – puis un rêve – non – un cauchemar m'étreint. Je sens bien que je suis couché et que je dors,... je le sens et je le sais... et je sens aussi que quelqu'un s'approche de moi, me regarde, me palpe, monte sur mon lit, s'agenouille sur ma poitrine, me prend le cou entre ses mains et serre... serre... de toute sa force pour m'étrangler. Moi, je me débats, lié par cette impuissance atroce, qui nous paralyse dans les songes ; je veux crier, – je ne peux pas ; – je veux remuer, – je ne peux pas ; – j'essaye, avec des efforts affreux, en haletant, de me tourner, de rejeter cet être qui m'écrase et qui m'étouffe, – je ne peux pas ! » (p. 41-43). De même, Charcot a rapporté à propos d'un patient : « Il arriva fréquemment qu'au moment où il fermait les yeux pour s'endormir, il croyait voir un monstre à figure humaine qui s'avançait vers lui. Épouvanté, il poussait un cri, ouvrait les yeux et la vision disparaissait, pour reprendre aussitôt que, de nouveau, il fermait les paupières[1]. »

Non content de s'intéresser à la folie et aux analyses cliniques qui en sont faites, Maupassant, comme les savants de son époque, explore aussi le magnétisme, l'hypnose et la suggestion.

Le magnétisme est un phénomène physique par lequel des objets exercent sur d'autres une force attractive ou répulsive. En France, au XIXe siècle, la théorie du médecin badois Franz Anton Mesmer (1734-1815) reçoit un large écho. Il défend l'idée qu'il existe un magnétisme animal, fondé sur un fluide susceptible de passer d'un individu à un autre. Il considère que, grâce à des passes et mouvements précis, dits « passes mesmériennes », tout homme peut agir sur autrui au moyen de ce fluide qui permet de guérir certaines maladies. Mesmer va jusqu'à tenter

---

1. Jean Martin Charcot, *L'Hystérie*, éd. E. Trillat, Toulouse, Privat, coll. « Rhadamante », 1971, p. 171.

de prouver que le magnétisme peut améliorer l'acuité visuelle d'une jeune aveugle. Pour mettre en application ce principe, il se livre à des séances surprenantes, qui se font en groupe et deviennent même une activité à la mode. Lors de ces réunions, les patients, reliés par une corde, se placent en cercle autour d'un récipient, dit «baquet de Mesmer». Celui-ci contient des bouteilles d'eau, du métal et du verre pilé, mis en contact avec les organes malades grâce à des tiges métalliques. Le magnétiseur effectue des passes et, quand le fluide se met à circuler, les individus sont pris d'une «crise magnétique», qui s'accompagne souvent de convulsions plus ou moins violentes. Mesmer joue souvent du piano pendant ces séances qui attirent le Tout-Paris.

Autre phénomène qui suscite l'intérêt des scientifiques et de Maupassant lui-même : la suggestion, permise par l'hypnose. En 1884, l'un des fondateurs de l'école de Nancy (également appelée école de la suggestion), Hippolyte Bernheim, définit en ces termes la suggestion : «acte par lequel une idée est introduite dans le cerveau et acceptée par lui[1]». En effet, la suggestion consiste à ancrer dans la tête d'un individu une idée ou un sentiment sans l'intervention de sa volonté. Ce processus se fait en situation d'hypnose, c'est-à-dire dans un état proche du sommeil, où le sujet hypnotisé n'est pas en pleine possession de sa conscience. L'hypnotiseur glisse une suggestion dans l'esprit de l'individu qui, à son réveil, ne se rappelle pas avoir été soumis à cette influence extérieure et pense que l'idée suggérée est le fruit de sa propre et unique volonté. C'est à cette pratique qu'on assiste dans «Le Horla», lors de la démonstration du docteur Parent. Tout d'abord l'hypnotiseur met le sujet en état d'hypnose : «Ma cousine, très incrédule aussi, souriait. Le docteur

---

1. Hippolyte Bernheim, *Hypnotisme, suggestion, psychothérapie*, Fayard, 1995, p. 37.

Parent lui dit : "Voulez-vous que j'essaie de vous endormir, Madame ? – Oui, je veux bien." Elle s'assit dans un fauteuil et il commença à la regarder fixement en la fascinant. [...] Je voyais les yeux de Mme Sablé s'alourdir, sa bouche se crisper, sa poitrine haleter. Au bout de dix minutes, elle dormait » (p. 52). Puis l'hypnotiseur suggère une idée au sujet, avant de le tirer du sommeil : « le docteur ordonna : "Vous vous lèverez demain à huit heures ; puis vous irez trouver à son hôtel votre cousin, et vous le supplierez de vous prêter cinq mille francs que votre mari vous demande et qu'il vous réclamera à son prochain voyage." Puis il la réveilla » (p. 53). Enfin, une fois que le sujet a obéi à l'ordre inconscient, l'hypnotiseur peut le replonger en état d'hypnose et effacer définitivement la suggestion et son souvenir : « Elle sommeillait déjà sur une chaise longue, accablée de fatigue. Le médecin lui prit le pouls, la regarda quelque temps, une main levée vers ses yeux qu'elle ferma peu à peu sous l'effort insoutenable de cette puissance magnétique. Quand elle fut endormie : "Votre mari n'a plus besoin de cinq mille francs ! Vous allez donc oublier que vous avez prié votre cousin de vous les prêter, et, s'il vous parle de cela, vous ne comprendrez pas." Puis il la réveilla » (p. 56). Le narrateur du « Horla » assiste donc à une séance d'hypnose doublée d'une suggestion.

La conviction de l'existence d'une force invisible crée un sentiment de malaise chez le narrateur (comme chez le lecteur), conscient du danger qu'il y a à manipuler des puissances que l'on ne maîtrise pas : « les médecins, depuis dix ans déjà, ont découvert, d'une façon précise, la nature de sa puissance [...]. Ils ont joué avec cette arme du Seigneur nouveau [...]. Ils ont appelé cela magnétisme, hypnotisme, suggestion... que sais-je ? Je les ai vus s'amuser comme des enfants imprudents avec cette horrible puissance ! » (p. 65).

Sur le plan littéraire, ces phénomènes étonnants, qui font souvent vaciller les rationalistes les plus endurcis, trouvent un écho particulier dans le genre fantastique, qui se fonde précisément sur le doute que peut éprouver un individu doué de raison lorsqu'il est confronté à des phénomènes surnaturels. C'est à ce genre qu'appartient «Le Horla».

Le fantastique

Le terme «fantastique» présente divers sens, selon le contexte dans lequel il est employé. Synonyme de l'adjectif «excellent, formidable» dans la conversation courante, il prend un sens tout à fait particulier quand il est employé dans le domaine littéraire. «Fantastique» vient du grec φαντασία (*fantasia*), qui désigne l'imagination. Ce mot a la même racine que le verbe φαίνεσθαι (*fainesthai*), qui signifie «apparaître, sembler, donner l'impression». Le philosophe grec Aristote (384-322 av. J.-C.) désigne la *fantasia* comme la faculté de se représenter des images qui ne correspondent à rien de véritable. Le mot donne, entre autres, les termes français «fantaisie», «fantôme», «fantasme», «fantasmagorie». Ce bref rappel étymologique permet de comprendre le rôle primordial que jouent la représentation et l'imagination dans les récits de type fantastique.

C'est en 1828 que François Adolphe Loève-Veimars (1801-1854), homme de lettres et diplomate, applique le mot «fantastique» à la sphère littéraire : lorsqu'il entreprend la traduction des *Fantasiestücke* («morceaux de fantaisie») de l'écrivain allemand Ernst Theodor Amadeus Hoffmann (1776-1822), Loève-Veimars prend la liberté de les intituler en français *Contes fantastiques*. Le succès de cette traduction lance la longue car-rière du terme dans les lettres européennes. Mais quel type d'écrits désigne ce mot? Les nuances se font bientôt jour entre les récits «merveilleux» et «fantastiques». Dans le merveilleux, dont la parfaite illustration est le conte de fées, le lecteur accepte d'emblée l'existence de pouvoirs surnaturels, de mani-festations magiques, qui ne sont pas perçus comme troublant le monde réel. On n'y cherche pas la vraisemblance, mais on s'y évade, librement, en se laissant porter par un univers que l'on adopte immédiatement comme il est. L'écrivain, sociologue et critique littéraire français Roger Caillois (1913-1978) décrit le «féerique» comme un «univers merveilleux qui s'ajoute au monde réel sans lui porter atteinte ni en détruire la cohérence. [...] Le conte de fées se passe dans un monde où l'enchantement va de soi et où la magie est la règle. Le surnaturel n'y est pas épouvantable, il n'y est même pas étonnant, puisqu'il constitue la substance même de l'univers, sa loi, son climat. Il ne viole aucune régularité : il fait partie de l'ordre des choses; il est l'ordre, ou plutôt l'absence d'ordre des choses[1].»

Dans le fantastique, à commencer par l'illustration qu'en donne Hoffmann, le lecteur est confronté à la manifestation d'un phénomène irrationnel dans un univers parfaitement commun et ordinaire. Roger Caillois rappelle ainsi que «tout le fantastique est rupture de l'ordre reconnu, irruption de l'inad-missible au sein de l'inaltérable légalité quotidienne[2]». L'idée de choc entre le rationnel et l'irrationnel, entre l'ordinaire et l'extra-ordinaire, sous-tend cette approche. Mais le philosophe et essayiste français Tzvetan Todorov (né en 1939) introduit l'idée

---

1. Roger Caillois, «De la féerie à la science-fiction», préface de l'*Anthologie de la littérature fantastique*, Gallimard, 1966, p. 8-9.
2. Roger Caillois, *Au cœur du fantastique*, Gallimard, 1965, p. 61.

de doute dans la définition du fantastique. Ce dernier reposerait sur une hésitation fondamentale du lecteur, qui ne sait s'il faut opter pour une explication rationnelle du phénomène surnaturel ou bien accepter l'existence du surnaturel dans l'univers représenté. Et c'est ce doute fondamental qui maintient le lecteur dans un malaise profond. Todorov écrit : « Dans un monde qui est bien le nôtre, celui que nous connaissons, sans diables, sylphides[1], ni vampires, se produit un événement qui ne peut s'expliquer par des lois de ce même monde familier. Celui qui perçoit l'événement doit opter pour l'une des deux solutions possibles : ou bien il s'agit d'une illusion des sens, d'un produit de l'imagination, et les lois du monde restent alors ce qu'elles sont ; ou bien l'événement a véritablement eu lieu, il est partie intégrante de la réalité, mais alors cette réalité est régie par des lois inconnues de nous[2]. » Dans « Le Horla », on se demande ainsi s'il faut accepter l'existence d'une créature surhumaine, ou si le Horla n'est que le fruit d'un dérèglement psychologique du personnage principal. Le lecteur est en proie au doute, comme le narrateur lui-même. Le 10 juillet, il écrit : « Décidément, je suis fou ! » (p. 48), avant de continuer, le 6 août : « Cette fois, je ne suis pas fou » (p. 57). Le 7 août, il poursuit : « Je me demande si je suis fou » ; puis : « Certes, je me croirais fou, absolument fou, si je n'étais conscient, si je ne connaissais parfaitement mon état, si je ne le sondais en l'analysant avec une complète lucidité » (p. 58-59). Les revirements du narrateur concernant son propre état psychique poussent le lecteur à douter encore plus.

Le fantastique nous conduit à remettre en question les cadres de pensée qui organisent notre compréhension du

---

1. *Sylphides* : génies féminins ailés.
2. Tzvetan Todorov, *Introduction à la littérature fantastique*, Seuil, coll. « Poétique », 1970, p. 28.

monde. Lutte contre les *a priori* réducteurs, le récit fantastique contraint le lecteur à questionner sa propre façon de lire le monde et ses phénomènes : «Qu'il s'agisse de fantômes, d'aberrations spatio-temporelles ou de folie, toutes ces manifestations ont pour point commun de perturber profondément l'équilibre intellectuel du personnage, et par ce biais, de remettre en question les cadres de pensée du lecteur lui-même[1].» Ainsi, en éprouvant une empathie à l'égard du narrateur, le lecteur du «Horla» reconsidère son approche du monde aussi bien que son regard sur le comportement humain et la notion de «normalité».

Six récits d'angoisse

La nouvelle au service du fantastique

Autour du «Horla», notre édition réunit cinq autres textes de Maupassant, qui optent tous pour la forme du conte ou de la nouvelle fantastique.

À l'époque de Maupassant, le terme «nouvelle» désigne un récit court, comme les mots «conte», «histoire» ou «anecdote». Ce type de textes est apparu dès la Renaissance, notamment dans des grands recueils comme *Le Décaméron* de Boccace (qui rassemble cent récits répartis en dix «journées») et *L'Heptaméron* de Marguerite de Navarre (qui contient soixante-douze nouvelles). Au XIXe siècle, avec l'essor de la presse, la nouvelle se

---

1. Joël Malrieu, *Le Fantastique*, Hachette, coll. «Contours littéraires», 1992, p. 48.

popularise : les grands journaux sont friands de ces textes adaptés aux dimensions d'un journal et qu'ils publient à côté des
articles et des faits divers. De leur côté, les auteurs affectionnent
cet exercice, grâce auquel ils peuvent toucher un large public et
qui leur offre une grande liberté.

La nouvelle n'a pas de contrainte de forme, de contenu ou de
style : elle est surtout définie par sa brièveté. « Le Horla », « Un
fou ? », « Lui ? », « La Peur », « La Main d'écorché », « Qui sait ? »
n'occupent chacune que quelques pages. Cette brièveté engage
l'écrivain à concentrer ses effets : les intrigues sont simples,
comportent peu de personnages, s'étendent souvent sur des
durées limitées et prennent pour cadre un nombre restreint de
lieux. En ce sens, « Un fou ? » est un modèle du genre : ce texte
raconte une visite du narrateur à Jacques Parent, dans la maison
de ce dernier, un soir d'orage. En effet, la nouvelle rend compte
d'un moment de crise, un événement ponctuel qui bouleverse
l'existence des personnages, comme les quelques mois où le
narrateur du « Horla » sombre dans la folie, la terrifiante séance
de magnétisme dans « Un fou ? », la fuite des meubles du narrateur et leur réapparition mystérieuse dans « Qui sait ? »... La fin
du texte est particulièrement mise en valeur : la nouvelle
s'achève souvent par un effet de surprise ou une révélation, la
chute.

On comprend quel parti les auteurs fantastiques peuvent
tirer de ce genre. La brièveté du texte permet de conserver une
part de mystère, en passant sous silence certaines explications.
En se concentrant sur quelques actions – dans « Lui ? », par
exemple, le récit se résume presque à la vision du narrateur –,
la nouvelle présente ces scènes de façon frappante, propre à
susciter l'angoisse. La chute, elle, est un outil remarquable pour
créer le doute caractéristique du genre fantastique. En une
phrase, à la fin du texte, l'auteur peut radicalement remettre en

cause le sens à donner à son récit. Ainsi, dans «La Peur», en voyant une silhouette menaçante à la porte de leur maison, les personnages, persuadés d'assister à l'apparition d'un fantôme, tirent sur l'intrus ; dans les dernières lignes du texte, le narrateur découvre contre la porte le cadavre du chien de la famille, tué d'une balle. Dans le récit fantastique, donc, la chute plonge souvent le lecteur dans une nouvelle hésitation entre interprétation surnaturelle et vision rationnelle des événements.

Diversité des formes

Le récit fantastique peut prendre des formes très variées, comme le montrent les textes de ce volume. Tout en se répondant par un jeu de résonance et de correspondances – que ce soit le thème de la folie, le surnaturel, le double, le magnétisme –, ils suivent différentes lignes et présentent une large palette des divers traitements du fantastique.

«La Peur» obéit à un projet didactique, puisque ce récit se propose de faire comprendre le sentiment de peur. Son titre même pourrait être celui d'un essai psychiatrique. Fondé sur un diptyque, le texte présente un volet exotique, dans le désert, et un volet normand, dans une forêt ténébreuse. Cette structure évoque déjà le thème du dédoublement, renforcé par l'enchâssement des récits : un personnage expose, à la première personne, sa conception de la peur sur le pont d'un navire, dans une nuit éclairée par la lune, et le récit enchâssé reprend lui-même les motifs de l'astre clair et omniprésent (le soleil du désert), puis de la nuit. Selon le narrateur, avant de s'analyser la peur se ressent, elle s'éprouve. Née d'une sensation d'enfermement éprouvée, elle constitue une réaction à l'oppression du monde extérieur, qu'il s'agisse du désert ou de la forêt. Or, dans ces deux cas, le danger n'est pas palpable, il n'est pas même réel, et c'est le flux de l'imagination, laquelle vagabonde loin de la réalité, qui entretient l'angoisse. Dans un cercle vicieux, la peur se nourrit de l'absence de danger réel, laquelle n'en suscite pas moins des traumatismes indélébiles, comme on le constate dans « Le Horla », dans « Qui sait ? » et dans « Lui ? ».

« Lui ? » présente un narrateur qui explique par un événement passé son état présent : s'il se marie à une femme quelconque, c'est pour conjurer l'angoisse que crée en lui le souvenir d'une hallucination dont il a été victime. Encore une fois, la peur du narrateur a pour objet elle-même : le narrateur finit par avoir peur d'avoir peur. Le fantastique devient alors complètement intellectuel, tournant sur lui-même, dans un piège devenu cérébral. La forme du texte, elle aussi, est ambiguë : le narrateur s'adresse à un ami, mais est-ce une lettre ou un récit oral ? Est-ce un soliloque qui reprend le thème du double, central dans « Le Horla » ? Avec son titre en forme d'interrogation, « Lui ? » suggère le doute sur le point de devenir folie.

De la même manière, « Un fou ? » résonne comme une question inquiète. La nouvelle de la mort d'un ami, Jacques Parent, suffit à introduire le récit d'une séance de magnétisme tout électrique, un soir d'orage. L'angoisse et la fascination du narrateur se combinent dans ce récit d'une expérience potentiellement dangereuse, puisque Jacques Parent va jusqu'à ordonner au chien du narrateur d'attaquer son maître. Folie, magnétisme, hypnose, peur, voilà des thèmes qui sont présents dans les autres textes de Maupassant.

Deux textes s'attachent à la relation entretenue entre folie et objet. Il s'agit de « La Main d'écorché » et de « Qui sait ? ». À travers les yeux d'un témoin, le premier récit relate la mort mystérieuse du propriétaire d'une main maudite. Racontée de façon neutre, par un tiers, ce fait divers semble suggérer l'intervention de forces surnaturelles, mais rien ne vient confirmer cette hypothèse. L'objet, la cauchemardesque main d'écorché, concentre tout le trouble du narrateur. Dans « Qui sait ? », le récit s'articule clairement en deux parties, qui sont ponctuées de voyages. Le texte paraît d'abord empreint de merveilleux : animés comme les jouets du conte « Casse-Noisette et le roi des souris » de Hoffmann, les meubles du narrateur quittent la maison de ce dernier, sous ses yeux ébahis, dans un cortège pittoresque. Mais progressivement le récit glisse du merveilleux au fantastique : l'univers est celui du quotidien (les meubles d'une maison), les éléments d'une enquête policière viennent appuyer la crédibilité du témoignage du narrateur. Ce dernier, élément troublant, se montre à la fois parfaitement lucide et bel et bien fou, adoptant un comportement de paranoïaque caractérisé. Centrée sur la figure inquiétante de l'antiquaire, l'obsession de la mort rythme son récit, et la fuite de son mobilier symbolise l'aliénation de son propre esprit.

Dans tous ces récits, Maupassant recourt systématiquement à la première personne, mais la proximité entre phénomènes paranormaux et narrateur est très variable. De la même manière, le degré d'implication du lecteur dans le récit varie selon le type de texte (lettre, journal, histoire racontée à des amis, récit enchâssé ou non). Toujours poussée dans ses derniers retranchements, la raison en sort ébranlée, délitée dans ce goutte-à-goutte de textes, fait d'une même terrible substance de mots.

CHRONOLOGIE

1850 1893
1850 1893

■ Repères historiques et culturels
■ Vie et œuvre de l'auteur

Repères historiques et culturels

1848- **1852**	IIe République.
1851	2 décembre : coup d'État de Louis-Napoléon Bonaparte.
1852	2 décembre : proclamation du Second Empire. Louis-Napoléon Bonaparte devient empereur des Français sous le nom de Napoléon III.
1856	Hugo, *Les Contemplations*, recueil de poésie.
1857	Baudelaire, *Les Fleurs du mal*, recueil de poésie. Le poète est condamné pour «délit d'outrage à la morale publique et religieuse et aux bonnes mœurs». Flaubert, *Madame Bovary*, roman. Jugé pour les mêmes raisons que Baudelaire, Flaubert est acquitté.
1859	Hugo, *La Légende des siècles*, recueil de poésie.
1862	Hugo, *Les Misérables*, roman. Flaubert, *Salammbô*, roman.
1863	Manet peint *Le Déjeuner sur l'herbe*.
1865	Edmond et Jules de Goncourt, *Germinie Lacerteux*, roman.
1869	Courbet peint *La Vague*. Verlaine, *Fêtes galantes*, recueil de poésie. Flaubert, *L'Éducation sentimentale*, roman. Mort de Louis Bouilhet.
1870	Juillet : début de la guerre franco-prussienne. 4 septembre : chute de l'Empire. Proclamation de la IIIe République. Mort de Jules de Goncourt.
1871	Commune de Paris : le peuple parisien refuse la capitulation. Ce gouvernement révolutionnaire et populaire est réprimé dans le sang par le gouvernement Thiers.
1872	Monet peint *Impression, soleil levant*. Zola, *La Curée*, roman.
1874- **1886**	Expositions des impressionnistes.

Vie et œuvre de l'auteur

1850   5 août : naissance de Maupassant, officiellement à Tourville-sur-Arcques, plus probablement à Fécamp.

1856   Naissance de son frère Hervé.

1860   Les époux Maupassant se séparent. La mère de Maupassant emménage à Étretat avec ses deux fils.

1863   Pensionnaire à l'Institution ecclésiastique d'Yvetot.

1868   Interne au lycée de Rouen.
Fréquente Gustave Flaubert et Louis Bouilhet.

1869   Obtient son baccalauréat ès lettres.

1870   S'enrôle dans l'armée.

1871   Paie un remplaçant et quitte l'armée.

1872   Entre au ministère de la Marine et des Colonies.

Repères historiques et culturels

1875	Constitution de la IIIᵉ République.
1877	Flaubert, *Trois Contes*, recueil.
1878	Zola, *L'Assommoir*, roman.
1879	Lampe incandescente inventée par Edison.
1880	Mort de Flaubert. Zola, *Nana*, roman.
1881	Renoir peint *Le Déjeuner des canotiers*.
1882	Le docteur Charcot commence ses leçons à la Salpêtrière, appelées «leçons du mardi matin». Wagner compose l'opéra *Parsifal*.
1883	Mort de Tourgueniev, de Manet, de Wagner.
1884	Huysmans, *À rebours*, roman.
1885	Découverte du vaccin contre la rage par Pasteur. Mort de Hugo. Zola, *Germinal*, roman. Laforgue, *Complaintes*, recueil de poésie.
1886	Rimbaud, *Illuminations*, recueil de poésie. Le général Boulanger est nommé ministre de la Guerre.
1887	Sadi Carnot est président de la République. Le général Boulanger est à la tête du boulangisme, mouvement politique nationaliste qui menace de renverser la IIIᵉ République.

Vie et œuvre de l'auteur

1875 «La Main d'écorché», conte.

1876 Contracte la syphilis, dont il mourra.

1878 Entre au ministère de l'Instruction publique.

1879 Voyage en Bretagne.

1880 Publie la nouvelle «Boule de suif» dans *Les Soirées de Médan*, recueil collectif de nouvelles auquel participent notamment Zola et Huysmans.
Entame avec Gisèle d'Estoc une liaison qui durera jusqu'en 1886.
Début de sa carrière de journaliste.

1881 Envoyé spécial pour *Le Gaulois* en Algérie. On en retrouve l'écho dans «La Peur».
La Maison Tellier, premier recueil de nouvelles.
Collabore au journal *Gil Blas* sous le pseudonyme de Maufrigneuse.

1882 Voyage en Bretagne.
Congédié du ministère de l'Instruction publique.
«La Peur», nouvelle. *Mademoiselle Fifi*, recueil de nouvelles.

1883 «Lui?», nouvelle. *Les Contes de la bécasse*, recueil. *Une vie* (premier roman). *Clair de lune*, recueil de nouvelles.
Naissance de son premier enfant dont la mère est Joséphine Litzelmann. De cette liaison naîtront deux autres enfants. Aucun n'est reconnu par Maupassant.

1884 Séjourne à Cannes.
«Un fou?», nouvelle. *Les Sœurs Rondoli*, *Miss Harriet*, recueils de contes.

1885 Voyage en Italie.
«Lettre d'un fou», nouvelle. *Bel-Ami*, roman. *Contes du jour et de la nuit*, recueil.

1886 Séjourne à Antibes.
La Petite Roque, recueil de nouvelles. «Le Horla», première version.

1887 Voyage en Afrique du Nord.
«Le Horla», seconde version. Publication du recueil du même nom. *Mont-Oriol*, roman.

Repères historiques et culturels

1888   Van Gogh peint *Les Tournesols*.

1889   Exposition universelle de Paris. Inauguration de la tour Eiffel.

1890   Mort de Van Gogh.
            Wilde, *Le Portrait de Dorian Gray*, roman.
            Zola, *La Bête humaine*, roman.

1891   Zola, *L'Argent*, roman.

1893   Zola, *Le Docteur Pascal*, dernier volume
            des *Rougon-Macquart*.

Vie et œuvre de l'auteur

1888   Premier internement de son frère, également atteint
de la syphilis.
Séjourne dans le Midi.
Pierre et Jean, roman. *Le Rosier de Madame Husson*, recueil
de nouvelles.

1889   *Fort comme la mort*, roman.
Son frère Hervé meurt dans un asile.

1890   Séjourne à Nice.
«Qui sait?», nouvelle.
L'Inutile Beauté, recueil de nouvelles. *Notre cœur*, roman.

1891   Nouveaux symptômes de la syphilis : Maupassant ne peut
plus écrire.

1892   Nuit du 1er au 2 janvier : tentative de suicide.
Il entre à la clinique du docteur Blanche à Passy.

1893   6 juillet : meurt à la clinique du docteur Blanche.

■ Illustration de la première version du « Horla », parue dans le journal
La Vie populaire, 9 décembre 1886.

Le Horla
et autres contes fantastiques

■ Couverture de l'édition du « Horla » de 1908, illustration de Julian-Damazy.

Horla
Hors de notre monde, et de cesolois

Le Horla

pers
fantas
psy

Narrateur participant

8 mai. – Quelle journée admirable! J'ai passé toute la mati-
née étendu sur l'herbe, devant ma maison, sous l'énorme platane
qui la couvre, l'abrite et l'ombrage tout entière. J'aime ce pays,
et j'aime y vivre parce que j'y ai mes racines, ces profondes et
5 délicates racines, qui attachent un homme à la terre où sont nés
et morts ses aïeux[1], qui l'attachent à ce qu'on pense et à ce qu'on
mange, aux usages comme aux nourritures, aux locutions
locales[2], aux intonations des paysans, aux odeurs du sol, des villages et de l'air lui-même.

10 J'aime ma maison où j'ai grandi. De mes fenêtres, je vois la
Seine qui coule, le long de mon jardin, derrière la route, presque
chez moi, la grande et large Seine, qui va de Rouen[3] au Havre[4],
couverte de bateaux qui passent.

À gauche, là-bas, Rouen, la vaste ville aux toits bleus, sous le
15 peuple pointu des clochers gothiques[5]. Ils sont innombrables,
frêles[6] ou larges, dominés par la flèche de fonte[7] de la cathédrale,
et pleins de cloches qui sonnent dans l'air bleu des belles mati-

---

1. *Aïeux* : ancêtres.
2. *Locutions locales* : expressions typiques d'un lieu, d'une région.
3. *Rouen* : ville de Normandie, traversée par la Seine. Maupassant y a été
étudiant.
4. *Le Havre* est une ville portuaire située sur la rive droite de l'estuaire de la
Seine, au bord de la Manche.
5. *Gothiques* : qui relèvent de l'architecture gothique, apparue au XIIe siècle
et caractérisée par la recherche de la hauteur et de la finesse. Les cathédrales
de Rouen et de Chartres sont des cathédrales gothiques.
6. *Frêles* : fins, fragiles.
7. *Fonte* : métal produit par l'alliage de divers métaux, dont le cuivre.

nées, jetant jusqu'à moi leur doux et lointain bourdonnement de fer, leur chant d'airain[1] que la brise m'apporte, tantôt plus fort et
20 tantôt plus affaibli, suivant qu'elle s'éveille ou s'assoupit.

Comme il faisait bon ce matin !

Vers onze heures, un long convoi de navires, traînés par un remorqueur, gros comme une mouche, et qui râlait[2] de peine en vomissant une fumée épaisse, défila devant ma grille.

25 Après deux goélettes[3] anglaises, dont le pavillon[4] rouge ondoyait sur le ciel, venait un superbe trois-mâts brésilien, tout blanc, admirablement propre et luisant. Je le saluai, je ne sais pourquoi, tant ce navire me fit plaisir à voir.

12 mai. – J'ai un peu de fièvre depuis quelques jours ; je me
30 sens souffrant, ou plutôt je me sens triste.

D'où viennent ces influences mystérieuses qui changent en découragement notre bonheur et notre confiance en détresse ? On dirait que l'air, l'air invisible est plein d'inconnaissables Puissances, dont nous subissons les voisinages mystérieux. Je
35 m'éveille plein de gaieté, avec des envies de chanter dans la gorge. – Pourquoi ? – Je descends le long de l'eau ; et soudain, après une courte promenade, je rentre désolé, comme si quelque malheur m'attendait chez moi. – Pourquoi ? – Est-ce un frisson de froid qui, frôlant ma peau, a ébranlé mes nerfs et assombri
40 mon âme ? Est-ce la forme des nuages, ou la couleur du jour, la couleur des choses, si variable, qui passant par mes yeux, a troublé ma pensée ? Sait-on ? Tout ce qui nous entoure, tout ce que nous voyons sans le regarder, tout ce que nous frôlons sans le connaître, tout ce que nous touchons sans le palper, tout ce que
45 nous rencontrons sans le distinguer, a sur nous, sur nos organes et, par eux, sur nos idées, sur notre cœur lui-même, des effets rapides, surprenants et inexplicables ?

---

1. *D'airain* : de bronze.
2. *Râlait* : produisait un son rauque.
3. *Goélettes* : bateaux légers à deux mâts et aux voiles quadrangulaires.
4. *Pavillon* : drapeau d'un bateau indiquant son pays d'origine.

Comme il est profond, ce mystère de l'Invisible ! Nous ne le pouvons sonder avec nos sens misérables, avec nos yeux qui ne
50 savent apercevoir ni le trop petit, ni le trop grand, ni le trop près, ni le trop loin, ni les habitants d'une étoile, ni les habitants d'une goutte d'eau… avec nos oreilles qui nous trompent, car elles nous transmettent les vibrations de l'air en notes sonores. Elles sont des fées qui font ce miracle de changer en bruit ce mouve-
55 ment et par cette métamorphose donnent naissance à la musique, qui rend chantante l'agitation muette de la nature… avec notre odorat, plus faible que celui du chien… avec notre goût, qui peut à peine discerner l'âge d'un vin !

Ah ! si nous avions d'autres organes qui accompliraient en
60 notre faveur d'autres miracles, que de choses nous pourrions découvrir encore autour de nous !

16 mai. – Je suis malade, décidément ! Je me portais si bien le mois dernier ! J'ai la fièvre, une fièvre atroce, ou plutôt un énervement[1] fiévreux, qui rend mon âme aussi souffrante que mon
65 corps. J'ai sans cesse cette sensation affreuse d'un danger menaçant, cette appréhension[2] d'un malheur qui vient ou de la mort qui approche, ce pressentiment qui est sans doute l'atteinte d'un mal encore inconnu, germant dans le sang et dans la chair.

18 mai. – Je viens d'aller consulter mon médecin, car je ne
70 pouvais plus dormir. Il m'a trouvé le pouls rapide, l'œil dilaté, les nerfs vibrants, mais sans aucun symptôme alarmant. Je dois me soumettre aux douches[3] et boire du bromure de potassium[4].

25 mai. – Aucun changement ! Mon état, vraiment, est bizarre. À mesure qu'approche le soir, une inquiétude incompréhensible
75 m'envahit, comme si la nuit cachait pour moi une menace

----

1. *Un énervement* : une agitation nerveuse.
2. *Appréhension* : vague crainte.
3. On traitait les troubles nerveux en faisant prendre des douches, chaudes ou froides, aux patients.
4. Le *bromure de potassium* est un produit chimique employé au XIXe siècle contre les maladies nerveuses, notamment l'épilepsie.

terrible. Je dîne vite, puis j'essaye de lire; mais je ne comprends pas les mots; je distingue à peine les lettres. Je marche alors dans mon salon de long en large, sous l'oppression d'une crainte confuse et irrésistible, la crainte du sommeil et la crainte du lit.

80   Vers dix heures, je monte dans ma chambre. À peine entré, je donne deux tours de clef, et je pousse les verrous; j'ai peur… de quoi?… Je ne redoutais rien jusqu'ici… j'ouvre mes armoires, je regarde sous mon lit; j'écoute… j'écoute… quoi?… Est-ce étrange qu'un simple malaise, un trouble de la circulation peut-
85 être, l'irritation d'un filet nerveux[1], un peu de congestion[2], une toute petite perturbation dans le fonctionnement si imparfait et si délicat de notre machine vivante, puisse faire un mélancolique du plus joyeux des hommes, et un poltron[3] du plus brave? Puis, je me couche, et j'attends le sommeil comme on attendrait le
90 bourreau. Je l'attends avec l'épouvante de sa venue; et mon cœur bat, et mes jambes frémissent; et tout mon corps tressaille dans la chaleur des draps, jusqu'au moment où je tombe tout à coup dans le repos, comme on tomberait pour s'y noyer, dans un gouffre d'eau stagnante. Je ne le sens pas venir, comme autrefois,
95 ce sommeil perfide, caché près de moi, qui me guette, qui va me saisir par la tête, me fermer les yeux, m'anéantir.

Je dors – longtemps – deux ou trois heures – puis un rêve – non – un cauchemar m'étreint. Je sens bien que je suis couché et que je dors,… je le sens et je le sais… et je sens aussi que quel-
100 qu'un s'approche de moi, me regarde, me palpe, monte sur mon lit, s'agenouille sur ma poitrine, me prend le cou entre ses mains et serre… serre… de toute sa force pour m'étrangler.

Moi, je me débats, lié par cette impuissance atroce, qui nous paralyse dans les songes; je veux crier, – je ne peux pas; – je veux
105 remuer, – je ne peux pas; – j'essaye, avec des efforts affreux, en

---

1. *Filet nerveux* : nerf fin reliant les muscles au cerveau.
2. *Congestion* : accumulation de sang dans un organe ou un tissu.
3. *Poltron* : lâche, excessivement peureux.

haletant[1], de me tourner, de rejeter cet être qui m'écrase et qui m'étouffe, – je ne peux pas!

Et soudain, je m'éveille, affolé, couvert de sueur. J'allume une bougie. Je suis seul.

110 Après cette crise, qui se renouvelle toutes les nuits, je dors enfin, avec calme, jusqu'à l'aurore.

2 juin. – Mon état s'est encore aggravé. Qu'ai-je donc? Le bromure n'y fait rien; les douches n'y font rien. Tantôt, pour fatiguer mon corps, si las[2] pourtant, j'allai faire un tour dans la forêt 115 de Roumare[3]. Je crus d'abord que l'air frais, léger et doux, plein d'odeur d'herbes et de feuilles, me versait aux veines un sang nouveau, au cœur une énergie nouvelle. Je pris une grande avenue de chasse, puis je tournai vers La Bouille[4], par une allée étroite, entre deux armées d'arbres démesurément hauts qui met-120 taient un toit vert, épais, presque noir, entre le ciel et moi.

Un frisson me saisit soudain, non pas un frisson de froid, mais un étrange frisson d'angoisse.

Je hâtai le pas, inquiet d'être seul dans ce bois, apeuré sans raison, stupidement, par la profonde solitude. Tout à coup, il me 125 sembla que j'étais suivi, qu'on marchait sur mes talons, tout près, tout près, à me toucher.

Je me retournai brusquement. J'étais seul. Je ne vis derrière moi que la droite et large allée, vide, haute, redoutablement vide; et de l'autre côté elle s'étendait aussi à perte vue, toute 130 pareille, effrayante.

Je fermai les yeux. Pourquoi? Et je me mis à tourner sur un talon, très vite, comme une toupie. Je faillis tomber; je rouvris les yeux; les arbres dansaient; la terre flottait; je dus m'asseoir. Puis, ah! je ne savais plus par où j'étais venu! Bizarre idée!

---

1. *Haletant* : respirant avec précipitation, par saccades.
2. *Las* : fatigué.
3. *Roumare* : commune française de Normandie, à côté de la Seine.
4. *La Bouille* : hameau situé sur la rive gauche de la Seine, en aval de Rouen.

135 Bizarre! Bizarre idée! Je ne savais plus du tout. Je partis par le côté qui se trouvait à ma droite, et je revins dans l'avenue qui m'avait amené au milieu de la forêt.

3 juin. – La nuit a été horrible. Je vais m'absenter pendant quelques semaines. Un petit voyage, sans doute, me remettra.

140 *2 juillet.* – Je rentre. Je suis guéri. J'ai fait d'ailleurs une excursion charmante. J'ai visité le mont Saint-Michel[1] que je ne connaissais pas.

Quelle vision, quand on arrive, comme moi, à Avranches[2], vers la fin du jour! La ville est sur une colline; et on me conduisit

145 dans le jardin public, au bout de la cité. Je poussai un cri d'étonnement. Une baie démesurée s'étendait devant moi, à perte de vue, entre deux côtes écartées se perdant au loin dans les brumes; et au milieu de cette immense baie jaune, sous un ciel d'or et de clarté s'élevait sombre et pointu un mont étrange, au

150 milieu des sables. Le soleil venait de disparaître, et sur l'horizon encore flamboyant se dessinait le profil de ce fantastique[3] rocher qui porte sur son sommet un fantastique monument.

Dès l'aurore, j'allai vers lui. La mer était basse, comme la veille au soir, et je regardais se dresser devant moi, à mesure que

155 j'approchais d'elle, la surprenante abbaye. Après plusieurs heures de marche, j'atteignis l'énorme bloc de pierres qui porte la petite cité dominée par la grande église. Ayant gravi la rue étroite et rapide, j'entrai dans la plus admirable demeure gothique construite pour Dieu sur la terre, vaste comme une

160 ville, pleine de salles basses écrasées sous des voûtes et de hautes galeries que soutiennent de frêles colonnes. J'entrai dans ce

---

1. *Mont Saint-Michel* : îlot rocheux situé à la limite de la Bretagne et de la Normandie. Il est célèbre pour les grandes marées de sa baie et pour son abbaye datant du Moyen Âge.

2. *Avranches* : commune située près du Mont-Saint-Michel. En arrivant à Avranches par l'est, on découvre le Mont-Saint-Michel dans le soleil couchant.

3. *Fantastique* : qui paraît imaginaire, surnaturel.

gigantesque bijou de granit, aussi léger qu'une dentelle, couvert de tours, de sveltes[1] clochetons, où montent des escaliers tordus, et qui lancent dans le ciel bleu des jours, dans le ciel noir des nuits, leurs têtes bizarres hérissées de chimères[2], de diables, de bêtes fantastiques, de fleurs monstrueuses, et reliés l'un à l'autre par de fines arches ouvragées.

Quand je fus sur le sommet, je dis au moine qui m'accompagnait : «Mon père, comme vous devez être bien ici!»

Il répondit : «Il y a beaucoup de vent, monsieur»; et nous nous mîmes à causer en regardant monter la mer, qui courait sur le sable et le couvrait d'une cuirasse d'acier.

Et le moine me conta des histoires, toutes les vieilles histoires de ce lieu, des légendes, toujours des légendes.

Une d'elles me frappa beaucoup. Les gens du pays, ceux du mont, prétendent qu'on entend parler la nuit dans les sables, puis qu'on entend bêler deux chèvres, l'une avec une voix forte, l'autre avec une voix faible. Les incrédules affirment que ce sont les cris des oiseaux de mer, qui ressemblent tantôt à des bêlements, et tantôt à des plaintes humaines; mais les pêcheurs attardés jurent avoir rencontré, rôdant sur les dunes, entre deux marées, autour de la petite ville jetée ainsi loin du monde, un vieux berger, dont on ne voit jamais la tête couverte de son manteau, et qui conduit, en marchant devant eux, un bouc à figure d'homme et une chèvre à figure de femme, tous deux avec de longs cheveux blancs et parlant sans cesse, se querellant dans une langue inconnue, puis cessant soudain de crier pour bêler de toute leur force.

Je dis au moine : «Y croyez-vous?»

Il murmura : «Je ne sais pas.»

Je repris : «S'il existait sur la terre d'autres êtres que nous, comment ne les connaîtrions-nous point depuis longtemps; comment ne les auriez-vous pas vus, vous? comment ne les aurais-je pas vus, moi?»

---

1. **Sveltes** : élancés, fins.
2. **Chimères** : monstres fabuleux.

Il répondit : «Est-ce que nous voyons la cent millième partie
195 de ce qui existe ? Tenez, voici le vent, qui est la plus grande force
de la nature, qui renverse les hommes, abat les édifices, déracine
les arbres, soulève la mer en montagnes d'eau, détruit les
falaises, et jette aux brisants[1] les grands navires, le vent qui tue,
qui siffle, qui gémit, qui mugit, – l'avez-vous vu, et pouvez-vous
200 le voir ? Il existe, pourtant.»

Je me tus devant ce simple raisonnement. Cet homme était un
sage ou peut-être un sot. Je ne l'aurais pu affirmer au juste ; mais
je me tus. Ce qu'il disait là, je l'avais pensé souvent.

3 juillet. – J'ai mal dormi ; certes, il y a ici une influence fié-
205 vreuse, car mon cocher souffre du même mal que moi. En rentrant hier, j'avais remarqué sa pâleur singulière. Je lui demandai :

«Qu'est-ce que vous avez, Jean ?

– J'ai que je ne peux plus me reposer, monsieur, ce sont mes
nuits qui mangent mes jours. Depuis le départ de monsieur, cela
210 me tient comme un sort.»

Les autres domestiques vont bien cependant, mais j'ai grand
peur d'être repris, moi.

4 juillet. – Décidément, je suis repris. Mes cauchemars
anciens reviennent. Cette nuit, j'ai senti quelqu'un accroupi sur
215 moi, et qui, sa bouche sur la mienne, buvait ma vie entre mes
lèvres. Oui, il la puisait dans ma gorge, comme aurait fait une
sangsue. Puis il s'est levé, repu, et moi je me suis réveillé, tellement meurtri, brisé, anéanti, que je ne pouvais plus remuer. Si
cela continue encore quelques jours, je repartirai certainement.

220 *5 juillet.* – Ai-je perdu la raison ? Ce qui s'est passé, ce que
j'ai vu la nuit dernière est tellement étrange, que ma tête s'égare
quand j'y songe !

Comme je le fais maintenant chaque soir, j'avais fermé ma
porte à clef ; puis, ayant soif, je bus un demi-verre d'eau, et je

---

1. *Brisants* : récifs.

225 remarquai par hasard que ma carafe était pleine jusqu'au bouchon de cristal.

Je me couchai ensuite et je tombai dans un de mes sommeils
épouvantables, dont je fus tiré au bout de deux heures environ
par une secousse plus affreuse encore.

230 Figurez-vous un homme qui dort, qu'on assassine, et qui se
réveille avec un couteau dans le poumon, et qui râle, couvert de
sang, et qui ne peut plus respirer, et qui va mourir, et qui ne comprend pas – voilà.

Ayant enfin reconquis ma raison, j'eus soif de nouveau ; j'allu-
235 mai une bougie et j'allai vers la table où était posée ma carafe. Je
la soulevai en la penchant sur mon verre ; rien ne coula. – Elle était
vide ! Elle était vide complètement ! D'abord, je n'y compris rien ;
puis, tout à coup, je ressentis une émotion si terrible, que je dus
m'asseoir, ou plutôt, que je tombai sur une chaise ! puis, je me
240 redressai d'un saut pour regarder autour de moi ! puis je me rassis,
éperdu[1] d'étonnement et de peur, devant le cristal transparent ! Je
le contemplais avec des yeux fixes, cherchant à deviner. Mes mains
tremblaient ! On avait donc bu cette eau ? Qui ? Moi ? moi, sans
doute ? Ce ne pouvait être que moi ? Alors, j'étais somnambule[2],
245 je vivais, sans le savoir, de cette double vie mystérieuse qui fait
douter s'il y a deux êtres en nous, ou si un être étranger, inconnaissable et invisible, anime, par moments, quand notre âme est
engourdie[3], notre corps captif qui obéit à cet autre, comme à
nous-mêmes, plus qu'à nous-mêmes.

250 Ah ! qui comprendra mon angoisse abominable ? Qui comprendra l'émotion d'un homme, sain d'esprit, bien éveillé, plein
de raison et qui regarde épouvanté, à travers le verre d'une
carafe, un peu d'eau disparue pendant qu'il a dormi ! Et je restai
là jusqu'au jour, sans oser regagner mon lit.

---

1. *Éperdu* : désemparé.
2. *Somnambule* : souffrant d'un trouble du sommeil qui pousse à accomplir
inconsciemment des gestes pendant la nuit (parole, marche, etc.).
3. *Engourdie* : affaiblie, endormie.

255   *6 juillet.* – Je deviens fou. On a encore bu toute ma carafe
cette nuit ; – ou plutôt, je l'ai bue !

Mais, est-ce moi ? Est-ce moi ? Qui serait-ce ? Qui ? Oh ! mon
Dieu ! Je deviens fou ? Qui me sauvera ?

10 juillet. – Je viens de faire des épreuves[1] surprenantes.

260   Décidément, je suis fou ! Et pourtant !

Le 6 juillet, avant de me coucher, j'ai placé sur ma table du
vin, du lait, de l'eau, du pain et des fraises.

On a bu – j'ai bu – toute l'eau, et un peu de lait. On n'a
touché ni au vin, ni au pain, ni aux fraises.

265   Le 7 juillet, j'ai renouvelé la même épreuve, qui a donné le
même résultat.

Le 8 juillet, j'ai supprimé l'eau et le lait. On n'a touché à rien.

Le 9 juillet enfin, j'ai remis sur ma table l'eau et le lait seulement, en ayant soin d'envelopper les carafes en des linges de
270   mousseline[2] blanche et de ficeler les bouchons. Puis, j'ai frotté
mes lèvres, ma barbe, mes mains avec de la mine de plomb[3], et
je me suis couché.

L'invincible sommeil m'a saisi, suivi bientôt de l'atroce réveil.
Je n'avais point remué ; mes draps eux-mêmes ne portaient pas
275   de taches. Je m'élançai vers ma table. Les linges enfermant les
bouteilles étaient demeurés immaculés[4]. Je déliai les cordons, en
palpitant[5] de crainte. On avait bu toute l'eau ! on avait bu tout
le lait ! Ah ! mon Dieu !...

Je vais partir tout à l'heure pour Paris.

280   *12 juillet.* – Paris. J'avais donc perdu la tête les jours derniers !
J'ai dû être le jouet de mon imagination énervée[6], à moins que

---

1. *Épreuves* : expériences.
2. *Mousseline* : toile de coton claire.
3. *Mine de plomb* : plombagine, ou graphite, mélange d'ocre et de carbone
utilisé pour fabriquer les crayons. Ainsi barbouillé, le narrateur ne peut toucher au linge sans y laisser des traces visibles.
4. *Immaculés* : sans tache.
5. *Palpitant* : étant agité de mouvements irréguliers.
6. *Énervée* : ici, stimulée, excitée.

je ne sois vraiment somnambule, ou que j'aie subi une de ces influences constatées, mais inexplicables jusqu'ici, qu'on appelle suggestions[1]. En tout cas, mon affolement touchait à la
285 démence, et vingt-quatre heures de Paris ont suffi pour me remettre d'aplomb.

Hier après des courses et des visites, qui m'ont fait passer dans l'âme de l'air nouveau et vivifiant, j'ai fini ma soirée au Théâtre-Français[2]. On y jouait une pièce d'Alexandre Dumas
290 fils[3]; et cet esprit alerte[4] et puissant a achevé de me guérir. Certes, la solitude est dangereuse pour les intelligences qui travaillent[5]. Il nous faut, autour de nous, des hommes qui pensent et qui parlent. Quand nous sommes seuls longtemps, nous peuplons le vide de fantômes[6].

295 Je suis rentré à l'hôtel très gai, par les boulevards[7]. Au coudoiement de la foule[8], je songeais, non sans ironie, à mes terreurs, à mes suppositions de l'autre semaine, car j'ai cru, oui, j'ai cru qu'un être invisible habitait sous mon toit. Comme notre

---

1. Suggestions : faits de faire naître des idées ou des sentiments chez un individu, sans que la conscience et la volonté de ce dernier prennent part à ce processus. Par exemple, lors d'une séance d'hypnose, l'hypnotiseur peut donner un ordre au sujet hypnotisé. Une fois sorti de l'état hypnotique, ce dernier confond cet ordre avec sa propre volonté.
2. Théâtre-Français : salle de théâtre parisienne, aujourd'hui la Comédie-Française.
3. Alexandre Dumas fils (1824-1895) : auteur dramatique et romancier, il a notamment écrit La Dame aux camélias. Il était l'ami de Maupassant.
4. Alerte : vif.
5. Travaillent : s'agitent, fonctionnent excessivement.
6. Sur ce point, Maupassant exprime des idées contradictoires dans sa correspondance. Dans une lettre à Gisèle d'Estoc (1881), il écrit : «J'aime immodérément être seul.» Mais dans une lettre à sa mère (24 septembre 1873), il évoque la solitude en ces termes : «J'éprouve souvent quand je suis seul devant ma table, avec ma triste lampe qui brûle devant moi, des moments de détresse si complets que je ne sais à qui me jeter.»
7. Boulevards : lieux de promenade de Paris très fréquentés, allant de la place de la Bastille à l'église de la Madeleine.
8. Au coudoiement de la foule : en me frayant un chemin dans la foule.

tête est faible et s'effare[1], et s'égare vite, dès qu'un petit fait
300 incompréhensible nous frappe !

Au lieu de conclure par ces simples mots : «Je ne comprends
pas parce que la cause m'échappe», nous imaginons aussitôt des
mystères effrayants et des puissances surnaturelles.

14 juillet. – Fête de la République[2]. Je me suis promené par
305 les rues. Les pétards et les drapeaux m'amusaient comme un
enfant. C'est pourtant fort bête d'être joyeux, à date fixe, par
décret du gouvernement. Le peuple est un troupeau imbécile,
tantôt stupidement patient et tantôt férocement révolté. On lui
dit : «Amuse-toi.» Il s'amuse. On lui dit : «Va te battre avec le
310 voisin[3].» Il va se battre. On lui dit : «Vote pour l'Empereur.» Il
vote pour l'Empereur. Puis, on lui dit : «Vote pour la République.» Et il vote pour la République[4].

Ceux qui le dirigent sont aussi sots ; mais au lieu d'obéir à des
hommes, ils obéissent à des principes, lesquels ne peuvent être
315 que niais, stériles et faux, par cela même qu'ils sont des principes, c'est-à-dire des idées réputées certaines et immuables, en
ce monde où l'on n'est sûr de rien, puisque la lumière est une
illusion, puisque le bruit est une illusion.

16 juillet. – J'ai vu hier des choses qui m'ont beaucoup
320 troublé.

Je dînais chez ma cousine, Mme Sablé, dont le mari com-
mande le 76ᵉ chasseurs[5] à Limoges[6]. Je me trouvais chez elle
avec deux jeunes femmes, dont l'une a épousé un médecin, le

---

1. *S'effare* : se trouble, est stupéfaite.
2. Fête nationale française depuis 1880.
3. Allusion à la guerre qui a opposé la France à l'Allemagne en 1870, et qui
s'est soldée par la victoire de l'Allemagne.
4. La France a souvent changé de régime politique au XIXᵉ siècle, passant de
la monarchie à la république (en 1848) puis au Second Empire (en 1852)
avant de rétablir la république (en 1870).
5. *76ᵉ chasseurs* : 76ᵉ régiment de chasseurs, qui sont un corps d'infanterie.
6. *Limoges* : ville principale du Limousin.

docteur Parent[1], qui s'occupe beaucoup des maladies nerveuses
325 et des manifestations extraordinaires[2] auxquelles donnent lieu
en ce moment les expériences sur l'hypnotisme et la suggestion[3].

Il nous raconta longuement les résultats prodigieux obtenus
par des savants anglais[4] et par les médecins de l'école de Nancy[5].

Les faits qu'il avança me parurent tellement bizarres, que je
330 me déclarai tout à fait incrédule.

« Nous sommes, affirmait-il, sur le point de découvrir un des
plus importants secrets de la nature, je veux dire, un de ses plus
importants secrets sur cette terre ; car elle en a certes d'autrement
importants, là-bas, dans les étoiles. Depuis que l'homme pense,
335 depuis qu'il sait dire et écrire sa pensée, il se sent frôlé par un
mystère impénétrable pour ses sens grossiers et imparfaits, et il
tâche de suppléer, par l'effort de son intelligence, à[6] l'impuissance de ses organes. Quand cette intelligence demeurait encore
à l'état rudimentaire[7], cette hantise[8] des phénomènes invisibles
340 a pris des formes banalement effrayantes. De là sont nées les

---

1. Le docteur Parent semble être un personnage récurrent de l'œuvre de Maupassant. L'auteur a écrit une nouvelle intitulée « Monsieur Parent » en 1885.
Voir aussi « Un fou ? », p. 73-80.
2. *Extraordinaires* : qui sortent de l'ordinaire, au sens propre.
3. Entre 1884 et 1886, Maupassant a assisté, à l'hôpital de la Salpêtrière, à
des séances de « grand hypnotisme » du docteur Charcot (1825-1893), prati-
quées à des fins thérapeutiques, sur des sujets hystériques. Dans *l'hypnotisme*, un individu est mis dans un état de sommeil qui se caractérise par une
insensibilité ou, au contraire, par une très forte acuité. Sur la *suggestion*,
voir note 1, p. 19.
4. Par exemple James Braid (1795-1860), chirurgien et savant britannique
qui utilisait notamment l'hypnotisme lors d'interventions chirurgicales, pour
anesthésier le patient.
5. L'école de Nancy, aussi appelée l'école de la suggestion, réunit le professeur de médecine Hippolyte Bernheim, le juriste Jules Liégeois et le médecin
Henri Étienne Beaunis. Avec l'école de la Salpêtrière, c'était le plus important
centre de recherches relatives à l'hypnose.
6. *Suppléer* [...] *à* : pallier, atténuer.
7. *Rudimentaire* : grossier.
8. *Hantise* : crainte obsédante.

croyances populaires au surnaturel, les légendes des esprits rôdeurs, des fées, des gnomes, des revenants, je dirai même la légende de Dieu, car nos conceptions de l'ouvrier-créateur[1], de quelque religion qu'elles nous viennent, sont bien les inventions
345 les plus médiocres, les plus stupides, les plus inacceptables sorties du cerveau apeuré des créatures. Rien de plus vrai que cette parole de Voltaire : "Dieu a fait l'homme à son image, mais l'homme le lui a bien rendu[2]."

«Mais, depuis un peu plus d'un siècle, on semble pressentir
350 quelque chose de nouveau. Mesmer[3] et quelques autres nous ont mis sur une voie inattendue, et nous sommes arrivés vraiment, depuis quatre ou cinq ans surtout, à des résultats surprenants.»

Ma cousine, très incrédule aussi, souriait. Le docteur Parent lui dit : «Voulez-vous que j'essaie de vous endormir, madame ?
355 – Oui, je veux bien.»

Elle s'assit dans un fauteuil et il commença à la regarder fixement en la fascinant. Moi, je me sentis soudain un peu troublé, le cœur battant, la gorge serrée. Je voyais les yeux de Mme Sablé s'alourdir, sa bouche se crisper, sa poitrine haleter.
360 Au bout de dix minutes, elle dormait.

«Mettez-vous derrière elle», dit le médecin.

Et je m'assis derrière elle. Il lui plaça entre les mains une carte de visite en lui disant : «Ceci est un miroir ; que voyez-vous dedans ?»
365 Elle répondit :

«Je vois mon cousin.

---

1. *Ouvrier-créateur* : image qui désigne Dieu, conçu comme architecte de l'univers ou «démiurge».
2. Citation inspirée du *Sottisier* de Voltaire (1694-1778). La citation exacte est : «Si Dieu nous a faits à son image, nous le lui avons bien rendu.»
3. *Franz Anton Mesmer* (1734-1815) : médecin allemand, à l'origine de la doctrine du magnétisme animal, dite mesmérisme. Cette doctrine affirme qu'une sorte de fluide magnétique passe d'un individu à l'autre. On peut utiliser ce fluide et, par des attouchements spécifiques, des regards et des mouvements, mettre un tiers dans un état qui favorise la suggestion et même la guérison de certaines maladies nerveuses. Voir présentation, p. 18-19.

– Que fait-il ?

– Il se tord la moustache.

– Et maintenant ?

370   – Il tire de sa poche une photographie.

– Quelle est cette photographie ?

– La sienne. »

C'était vrai ! Et cette photographie venait de m'être livrée, le soir même, à l'hôtel.

375   « Comment est-il sur ce portrait ?

– Il se tient debout avec son chapeau à la main. »

Donc elle voyait dans cette carte, dans ce carton blanc, comme elle eût vu dans une glace.

Les jeunes femmes, épouvantées, disaient : « Assez ! Assez !
380 Assez ! »

Mais le docteur ordonna : « Vous vous lèverez demain à huit heures ; puis vous irez trouver à son hôtel votre cousin, et vous le supplierez de vous prêter cinq mille francs que votre mari vous demande et qu'il vous réclamera à son prochain voyage. »

385   Puis il la réveilla.

En rentrant à l'hôtel, je songeais à cette curieuse séance et des doutes m'assaillirent, non point sur l'absolue, sur l'insoupçonnable bonne foi de ma cousine, que je connaissais comme une sœur, depuis l'enfance, mais sur une supercherie[1] possible du
390 docteur. Ne dissimulait-il pas dans sa main une glace qu'il montrait à la jeune femme endormie, en même temps que sa carte de visite ? Les prestidigitateurs[2] de profession font des choses autrement singulières.

Je rentrai donc et je me couchai.

395   Or, ce matin, vers huit heures et demie, je fus réveillé par mon valet de chambre qui me dit :

---

1. *Supercherie* : tromperie.
2. *Prestidigitateurs* : illusionnistes, artistes qui exécutent des tours de magie grâce à des mouvements des doigts très rapides.

«C'est Mme Sablé qui demande à parler à monsieur tout de suite.»

Je m'habillai à la hâte et je la reçus.

400 Elle s'assit fort troublée, les yeux baissés, et, sans lever son voile[1], elle me dit :

«Mon cher cousin, j'ai un gros service à vous demander.

– Lequel, ma cousine?

– Cela me gêne beaucoup de vous le dire, et pourtant, il le
405 faut. J'ai besoin, absolument besoin, de cinq mille francs.

– Allons donc, vous?

– Oui, moi, ou plutôt mon mari, qui me charge de les trouver.»

J'étais tellement stupéfait, que je balbutiais mes réponses. Je
410 me demandais si vraiment elle ne s'était pas moquée de moi avec le docteur Parent, si ce n'était pas là une simple farce préparée d'avance et fort bien jouée.

Mais, en la regardant avec attention, tous mes doutes se dissipèrent. Elle tremblait d'angoisse, tant cette démarche lui était dou-
415 loureuse, et je compris qu'elle avait la gorge pleine de sanglots.

Je la savais fort riche et je repris :

«Comment! votre mari n'a pas cinq mille francs à sa disposition! Voyons, réfléchissez. Êtes-vous sûre qu'il vous a chargée de me les demander?»

420 Elle hésita quelques secondes comme si elle eût fait un grand effort pour chercher dans son souvenir, puis elle répondit :

«Oui…, oui…, j'en suis sûre.

– Il vous a écrit?»

Elle hésita encore, réfléchissant. Je devinai le travail torturant
425 de sa pensée. Elle ne savait pas. Elle savait seulement qu'elle devait m'emprunter cinq mille francs pour son mari. Donc elle osa mentir.

---

1. Les femmes attachaient alors à leur coiffe un morceau de tissu translucide (gaze, dentelle) qui protégeait leur visage du vent, de la pluie et des regards des inconnus.

«Oui, il m'a écrit.

– Quand donc? Vous ne m'avez parlé de rien, hier.

430 – J'ai reçu sa lettre ce matin.

– Pouvez-vous me la montrer?

– Non… non… non… elle contenait des choses intimes… trop personnelles… je l'ai… je l'ai brûlée.

– Alors, c'est que votre mari fait des dettes.»

435 Elle hésita encore, puis murmura :

«Je ne sais pas.»

Je déclarai brusquement :

«C'est que je ne puis disposer de cinq mille francs en ce moment, ma chère cousine.»

440 Elle poussa une sorte de cri de souffrance.

«Oh! oh! je vous en prie, je vous en prie, trouvez-les…»

Elle s'exaltait, joignait les mains comme si elle m'eût prié! J'entendais sa voix changer de ton; elle pleurait et bégayait, harcelée, dominée par l'ordre irrésistible qu'elle avait reçu.

445 «Oh! oh! je vous en supplie… Si vous saviez comme je souffre… il me les faut aujourd'hui.»

J'eus pitié d'elle.

«Vous les aurez tantôt[1], je vous le jure.»

Elle s'écria :

450 «Oh! merci! merci! Que vous êtes bon.»

Je repris : «Vous rappelez-vous ce qui s'est passé hier soir chez vous?

– Oui.

– Vous rappelez-vous que le docteur Parent vous a 455 endormie?

– Oui.

– Eh! bien, il vous a ordonné de venir m'emprunter ce matin cinq mille francs, et vous obéissez en ce moment à cette suggestion.»

---

1. *Tantôt* : dans peu de temps.

460 Elle réfléchit quelques secondes et répondit :

«Puisque c'est mon mari qui les demande.»

Pendant une heure, j'essayai de la convaincre, mais je n'y pus parvenir.

Quand elle fut partie, je courus chez le docteur. Il allait sortir; 465 et il m'écouta en souriant. Puis il dit :

«Croyez-vous maintenant?

– Oui, il le faut bien.

– Allons chez votre parente.»

Elle sommeillait déjà sur une chaise longue, accablée de 470 fatigue. Le médecin lui prit le pouls, la regarda quelque temps, une main levée vers ses yeux qu'elle ferma peu à peu sous l'effort insoutenable de cette puissance magnétique.

Quand elle fut endormie :

«Votre mari n'a plus besoin de cinq mille francs! Vous allez 475 donc oublier que vous avez prié votre cousin de vous les prêter, et, s'il vous parle de cela, vous ne comprendrez pas.»

Puis il la réveilla. Je tirai de ma poche un portefeuille :

«Voici, ma chère cousine, ce que vous m'avez demandé ce matin.»

480 Elle fut tellement surprise que je n'osai pas insister. J'essayai cependant de ranimer sa mémoire, mais elle nia avec force, crut que je me moquais d'elle, et faillit, à la fin, se fâcher.

....

Voilà! je viens de rentrer; et je n'ai pu déjeuner, tant cette expérience m'a bouleversé.

485 *19 juillet.* – Beaucoup de personnes à qui j'ai raconté cette aventure se sont moquées de moi. Je ne sais plus que penser. Le sage dit : Peut-être?

21 juillet. – J'ai été dîner à Bougival[1], puis j'ai passé la soirée au bal des canotiers. Décidément, tout dépend des lieux et des

---

1. Bougival : commune française, située dans les Yvelines, au bord de la Seine. Il était très fréquent d'aller y passer la soirée, dans les différents bals où dansaient les amateurs de promenade en canot sur le fleuve (Maupassant lui-même pratiquait volontiers ce loisir nommé canotage).

490 milieux. Croire au surnaturel dans l'île de la Grenouillère[1], serait le comble de la folie… mais au sommet du mont Saint-Michel?… mais dans les Indes? Nous subissons effroyablement l'influence de ce qui nous entoure. Je rentrerai chez moi la semaine prochaine.

495 *30 juillet.* – Je suis revenu dans ma maison depuis hier. Tout va bien.

2 août. – Rien de nouveau; il fait un temps superbe. Je passe mes journées à regarder couler la Seine.

4 août. – Querelles parmi mes domestiques. Ils prétendent 500 qu'on casse les verres, la nuit, dans les armoires. Le valet de chambre accuse la cuisinière, qui accuse la lingère, qui accuse les deux autres. Quel est le coupable? Bien fin qui le dirait?

6 août. – Cette fois, je ne suis pas fou. J'ai vu… j'ai vu… j'ai vu!… Je ne puis plus douter… j'ai vu!… J'ai encore froid jusque 505 dans les ongles… j'ai encore peur jusque dans les moelles[2]… j'ai vu!…

Je me promenais à deux heures, en plein soleil, dans mon parterre de rosiers… dans l'allée des rosiers d'automne qui commencent à fleurir.

510 Comme je m'arrêtais à regarder un *géant des batailles*[3], qui portait trois fleurs magnifiques, je vis, je vis distinctement, tout près de moi, la tige d'une de ces roses se plier, comme si une main invisible l'eût tordue, puis se casser comme si cette main l'eût cueillie! Puis la fleur s'éleva, suivant la courbe qu'aurait 515 décrite un bras en la portant vers une bouche, et elle resta suspendue dans l'air transparent, toute seule, immobile, effrayante tache rouge à trois pas de mes yeux.

---

1. *Île de la Grenouillère* (ou île de la Chaussée, ou encore île de Croissy): île de la Seine, lieu de canotage, de bain, de bal et de détente. Maupassant parle du «café flottant de la Grenouillère» dans *Yvette*, nouvelle de 1884.
2. *Moelle*: partie interne des os. «Avoir peur jusque dans les moelles» signifie ressentir une crainte démesurée, très profonde.
3. *Géant des batailles*: variété de rosier.

Éperdu, je me jetai sur elle pour la saisir! Je ne trouvai rien; elle avait disparu. Alors je fus pris d'une colère furieuse contre
520 moi-même; car il n'est pas permis à un homme raisonnable et sérieux d'avoir de pareilles hallucinations.

Mais était-ce bien une hallucination? Je me retournai pour chercher la tige, et je la retrouvai immédiatement sur l'arbuste, fraîchement brisée, entre les deux autres roses demeurées à la
525 branche.

Alors, je rentrai chez moi l'âme bouleversée; car je suis certain, maintenant, certain comme de l'alternance des jours et des nuits, qu'il existe près de moi un être invisible, qui se nourrit de lait et d'eau, qui peut toucher aux choses, les prendre et les chan-
530 ger de place, doué par conséquent d'une nature matérielle, bien qu'imperceptible pour nos sens, et qui habite comme moi, sous mon toit...

7 août. – J'ai dormi tranquille. Il a bu l'eau de ma carafe, mais n'a point troublé mon sommeil.
535 Je me demande si je suis fou. En me promenant, tantôt au grand soleil, le long de la rivière, des doutes me sont venus sur ma raison, non point des doutes vagues comme j'en avais jusqu'ici, mais des doutes précis, absolus. J'ai vu des fous; j'en ai connu qui restaient intelligents, lucides, clairvoyants même sur
540 toutes les choses de la vie, sauf sur un point. Ils parlaient de tout avec clarté, avec souplesse, avec profondeur, et soudain leur pensée touchant l'écueil[1] de leur folie, s'y déchirait en pièces, s'éparpillait et sombrait dans cet océan effrayant et furieux, plein de vagues bondissantes, de brouillards, de bourrasques, qu'on
545 nomme «la démence».

Certes, je me croirais fou, absolument fou, si je n'étais conscient, si je ne connaissais parfaitement mon état, si je ne le

---

1. *Écueil* : récif; obstacle. Le narrateur évoque certains cas de psychose où le patient peut avoir des raisonnements tout à fait normaux, sauf lorsqu'il s'agit de l'idée qui est source de sa folie.

sondais en l'analysant avec une complète lucidité. Je ne serais donc, en somme, qu'un halluciné raisonnant. Un trouble
550 inconnu se serait produit dans mon cerveau, un de ces troubles qu'essayent de noter et de préciser aujourd'hui les physiologistes[1] ; et ce trouble aurait déterminé dans mon esprit, dans l'ordre et la logique de mes idées, une crevasse profonde. Des phénomènes semblables ont lieu dans le rêve qui nous promène
555 à travers les fantasmagories[2] les plus invraisemblables, sans que nous en soyons surpris, parce que l'appareil vérificateur, parce que le sens du contrôle est endormi ; tandis que la faculté imaginative veille et travaille. Ne se peut-il pas qu'une des imperceptibles touches du clavier cérébral se trouve paralysée chez moi ?
560 Des hommes, à la suite d'accidents, perdent la mémoire des noms propres ou des verbes ou des chiffres, ou seulement des dates. Les localisations de toutes les parcelles de la pensée sont aujourd'hui prouvées. Or, quoi d'étonnant à ce que ma faculté de contrôler l'irréalité de certaines hallucinations, se trouve
565 engourdie chez moi en ce moment !

Je songeais à tout cela en suivant le bord de l'eau. Le soleil couvrait de clarté la rivière, faisait la terre délicieuse, emplissait mon regard d'amour pour la vie, pour les hirondelles, dont l'agilité est une joie de mes yeux, pour les herbes de la rive, dont le
570 frémissement est un bonheur de mes oreilles.

Peu à peu, cependant un malaise inexplicable me pénétrait. Une force, me semblait-il, une force occulte m'engourdissait, m'arrêtait, m'empêchait d'aller plus loin, me rappelait en arrière. J'éprouvais ce besoin douloureux de rentrer qui vous oppresse,
575 quand on a laissé au logis un malade aimé, et que le pressentiment vous saisit d'une aggravation de son mal.

---

1. Les *physiologistes* s'intéressent aux fonctions des organes et aux phénomènes de la vie. Leur compréhension de l'humain est mécaniste. Un trouble psychologique sera ainsi expliqué par un trouble physiologique.
2. *Fantasmagories* : chimères, illusions.

Donc, je revins malgré moi, sûr que j'allais trouver, dans ma maison, une mauvaise nouvelle, une lettre ou une dépêche. Il n'y avait rien ; et je demeurai plus surpris et plus inquiet que si j'avais 580 eu de nouveau quelque vision fantastique.

8 août. – J'ai passé hier une affreuse soirée. Il ne se manifeste plus, mais je le sens près de moi, m'épiant, me regardant, me pénétrant, me dominant et plus redoutable, en se cachant ainsi, que s'il signalait par des phénomènes surnaturels sa présence 585 invisible et constante.

J'ai dormi, pourtant.

9 août. – Rien ; mais j'ai peur.

10 août. – Rien ; qu'arrivera-t-il demain ?

11 août. – Toujours rien ; je ne puis plus rester chez moi avec 590 cette crainte et cette pensée entrées en mon âme ; je vais partir.

12 août, 10 heures du soir. – Tout le jour j'ai voulu m'en aller ; je n'ai pas pu. J'ai voulu accomplir cet acte de liberté si facile, si simple, – sortir – monter dans ma voiture pour gagner Rouen – je n'ai pas pu. Pourquoi ?

595 *13 août.* – Quand on est atteint par certaines maladies, tous les ressorts de l'être physique semblent brisés, toutes les énergies anéanties, tous les muscles relâchés, les os devenus mous comme la chair et la chair liquide comme de l'eau. J'éprouve cela dans mon être moral d'une façon étrange et désolante. Je n'ai plus 600 aucune force, aucun courage, aucune domination sur moi, aucun pouvoir même de mettre en mouvement ma volonté. Je ne peux plus vouloir ; mais quelqu'un veut pour moi ; et j'obéis.

14 août. – Je suis perdu ! Quelqu'un possède mon âme et la gouverne ! quelqu'un ordonne tous mes actes, tous mes mouve-605 ments, toutes mes pensées. Je ne suis plus rien en moi, rien qu'un spectateur esclave et terrifié de toutes les choses que j'accomplis. Je désire sortir. Je ne peux pas. Il ne veut pas ; et je reste, éperdu, tremblant, dans le fauteuil où il me tient assis. Je désire seulement me lever, me soulever, afin de me croire encore maître de

610 moi. Je ne peux pas ! Je suis rivé à mon siège ; et mon siège
adhère au sol, de telle sorte qu'aucune force ne nous soulèverait.

Puis, tout d'un coup, il faut, il faut, il faut que j'aille au fond
de mon jardin cueillir des fraises et les manger. Et j'y vais. Je
cueille des fraises et je les mange ! Oh ! mon Dieu ! Mon Dieu !
615 Mon Dieu ! Est-il un Dieu ? S'il en est un, délivrez-moi, sauvez-
moi ! secourez-moi ! Pardon ! Pitié ! Grâce ! Sauvez-moi ! Oh !
quelle souffrance ! quelle torture ! quelle horreur !

15 août. – Certes, voilà comment était possédée et dominée
ma pauvre cousine, quand elle est venue m'emprunter cinq mille
620 francs[1]. Elle subissait un vouloir étranger entré en elle, comme
une autre âme, comme une autre âme parasite et dominatrice.
Est-ce que le monde va finir ?

Mais celui qui me gouverne, quel est-il, cet invisible ? cet
inconnaissable, ce rôdeur d'une race surnaturelle ?

625 Donc les Invisibles existent ! Alors, comment depuis l'origine
du monde ne se sont-ils pas encore manifestés d'une façon précise comme ils le font pour moi ? Je n'ai jamais rien lu qui ressemble à ce qui s'est passé dans ma demeure. Oh ! si je pouvais
la quitter, si je pouvais m'en aller, fuir et ne pas revenir. Je serais
630 sauvé, mais je ne peux pas.

16 août. – J'ai pu m'échapper aujourd'hui pendant deux
heures, comme un prisonnier qui trouve ouverte, par hasard, la
porte de son cachot. J'ai senti que j'étais libre tout à coup et qu'il
était loin. J'ai ordonné d'atteler bien vite et j'ai gagné Rouen.
635 Oh ! quelle joie de pouvoir dire à un homme qui obéit : « Allez
à Rouen ! »

Je me suis fait arrêter devant la bibliothèque et j'ai prié qu'on
me prêtât le grand traité du docteur Hermann Herestauss[2] sur
les habitants inconnus du monde antique et moderne.

---

1. Le récit fait ici un parallèle très clair entre la situation du narrateur et le
magnétisme et l'hypnotisme.
2. Ce personnage est inventé par Maupassant. Son nom pourrait être forgé
sur l'allemand *Herr ist aus* (« monsieur est ailleurs/dehors »).

640 Puis, au moment de remonter dans mon coupé[1], j'ai voulu dire : «À la gare!» et j'ai crié, – je n'ai pas dit, j'ai crié – d'une voix si forte que les passants se sont retournés : «À la maison», et je suis tombé, affolé d'angoisse, sur le coussin de ma voiture. Il m'avait retrouvé et repris.

645 *17 août.* – Ah! Quelle nuit! quelle nuit! Et pourtant il me semble que je devrais me réjouir. Jusqu'à une heure du matin, j'ai lu! Hermann Herestauss, docteur[2] en philosophie et en théogonie[3], a écrit l'histoire et les manifestations de tous les êtres invisibles rôdant autour de l'homme ou rêvés par lui. Il décrit leurs 650 origines, leur domaine, leur puissance. Mais aucun d'eux ne ressemble à celui qui me hante. On dirait que l'homme, depuis qu'il pense, a pressenti et redouté un être nouveau, plus fort que lui, son successeur en ce monde, et que, le sentant proche et ne pouvant prévoir la nature de ce maître, il a créé, dans sa terreur, tout 655 le peuple fantastique des êtres occultes, fantômes vagues nés de la peur.

Donc, ayant lu jusqu'à une heure du matin, j'ai été m'asseoir ensuite auprès de ma fenêtre ouverte pour rafraîchir mon front et ma pensée au vent calme de l'obscurité.

660 Il faisait bon, il faisait tiède! Comme j'aurais aimé cette nuit-là autrefois!

Pas de lune. Les étoiles avaient au fond du ciel noir des scintillements frémissants. Qui habite ces mondes? Quelles formes, quels vivants, quels animaux, quelles plantes sont là-bas? Ceux 665 qui pensent dans ces univers lointains, que savent-ils plus que nous? Que peuvent-ils plus que nous? Que voient-ils que nous

---

1. *Coupé* : voiture fermée, tirée par des chevaux, à deux places et quatre roues.
2. *Docteur* : savant, titulaire d'un doctorat.
3. *Théogonie* : ici, ensemble des divinités des religions polythéistes. Au sens premier, le terme désigne un récit mythique racontant la naissance des dieux, le plus célèbre étant la *Théogonie* d'Hésiode (poète grec du VIIIe siècle avant notre ère).

ne connaissons point ? Un d'eux, un jour ou l'autre, traversant l'espace, n'apparaîtra-t-il pas sur notre terre pour la conquérir, comme les Normands[1] jadis traversaient la mer pour asservir des peuples plus faibles.

Nous sommes si infirmes, si désarmés, si ignorants, si petits, nous autres, sur ce grain de boue qui tourne délayé[2] dans une goutte d'eau.

Je m'assoupis en rêvant ainsi au vent frais du soir.

Or, ayant dormi environ quarante minutes, je rouvris les yeux sans faire un mouvement, réveillé par je ne sais quelle émotion confuse et bizarre. Je ne vis rien d'abord, puis, tout à coup, il me sembla qu'une page du livre resté ouvert sur ma table venait de tourner toute seule. Aucun souffle d'air n'était entré par ma fenêtre. Je fus surpris et j'attendis. Au bout de quatre minutes environ, je vis, je vis, oui, je vis de mes yeux une autre page se soulever et se rabattre sur la précédente, comme si un doigt l'eût feuilletée. Mon fauteuil était vide, semblait vide ; mais je compris qu'il était là, lui, assis à ma place, et qu'il lisait. D'un bond furieux, d'un bond de bête révoltée, qui va éventrer son dompteur, je traversai ma chambre pour le saisir, pour l'étreindre, pour le tuer !… Mais mon siège, avant que je l'eusse atteint, se renversa comme si on eût fui devant moi… ma table oscilla, ma lampe tomba et s'éteignit, et ma fenêtre se ferma comme si un malfaiteur surpris se fût élancé dans la nuit, en prenant à pleines mains les battants.

Donc, il s'était sauvé ; il avait eu peur, peur de moi, lui !

Alors,… alors… demain… ou après,… ou un jour quelconque,… je pourrai donc le tenir sous mes poings, et l'écraser contre le sol ! Est-ce que les chiens, quelquefois, ne mordent point et n'étranglent pas leurs maîtres ?

---

1. *Normands* : ici, les Vikings, dont les conquêtes allèrent jusqu'à la Sicile et au Proche-Orient.
2. *Délayé* : dilué.

18 août. – J'ai songé toute la journée. Oh! oui, je vais lui obéir, suivre ses impulsions, accomplir toutes ses volontés, me faire humble, soumis, lâche. Il est le plus fort. Mais une heure
700 viendra...

19 août. – Je sais... je sais... je sais tout! Je viens de lire ceci dans la *Revue du Monde Scientifique* : «Une nouvelle assez curieuse nous arrive de Rio de Janeiro[1]. Une folie, une épidémie de folie, comparable aux démences contagieuses qui atteignirent
705 les peuples d'Europe au Moyen Âge, sévit en ce moment dans la province de San-Paulo[2]. Les habitants éperdus quittent leurs maisons, désertent leurs villages, abandonnent leurs cultures, se disant poursuivis, possédés, gouvernés comme un bétail humain par des êtres invisibles bien que tangibles[3], des sortes de vam-
710 pires qui se nourrissent de leur vie, pendant leur sommeil, et qui boivent en outre de l'eau et du lait sans paraître toucher à aucun autre aliment.

«M. le professeur Don Pedro Henriquez, accompagné de plusieurs savants médecins, est parti pour la province de San-Paulo,
715 afin d'étudier sur place les origines et les manifestations de cette surprenante folie, et de proposer à l'Empereur[4] les mesures qui lui paraîtront le plus propres à rappeler à la raison ces populations en délire.»

Ah! Ah! je me rappelle, je me rappelle le beau trois-mâts bré-
720 silien qui passa sous mes fenêtres en remontant la Seine, le 8 mai dernier! Je le trouvai si joli, si blanc, si gai! L'Être était dessus, venant de là-bas, où sa race est née! Et il m'a vu! Il a vu ma demeure blanche aussi; et il a sauté du navire sur la rive. Oh! mon Dieu!

725 À présent, je sais, je devine. Le règne de l'homme est fini.

---

1. *Rio de Janeiro* : grande ville brésilienne.
2. *San-Paulo* : São Paulo, la plus grande ville du Brésil.
3. *Tangibles* : que l'on peut toucher.
4. Il s'agit de Pierre II, empereur du Brésil, qui est une monarchie constitutionnelle de 1824 à 1889.

Il est venu, Celui que redoutaient les premières terreurs des peuples naïfs, Celui qu'exorcisaient[1] les prêtres inquiets, que les sorciers évoquaient[2] par les nuits sombres, sans le voir apparaître encore, à qui les pressentiments des maîtres passagers du
730 monde prêtèrent toutes les formes monstrueuses ou gracieuses des gnomes, des esprits, des génies, des fées, des farfadets[3]. Après les grossières conceptions de l'épouvante primitive, des hommes plus perspicaces l'ont pressenti plus clairement. Mesmer l'avait deviné, et les médecins, depuis dix ans déjà, ont
735 découvert, d'une façon précise, la nature de sa puissance avant qu'il l'eût exercée lui-même. Ils ont joué avec cette arme du Seigneur nouveau, la domination d'un mystérieux vouloir sur l'âme humaine devenue esclave. Ils ont appelé cela magnétisme, hypnotisme, suggestion... que sais-je ? Je les ai vus s'amuser comme
740 des enfants imprudents avec cette horrible puissance ! Malheur à nous ! Malheur à l'homme ! Il est venu, le... le... comment se nomme-t-il... le... il me semble qu'il me crie son nom, et je ne l'entends pas... le... oui... il le crie... J'écoute... je ne peux pas... répète... le... Horla[4]... J'ai entendu... le Horla... c'est lui... le
745 Horla... il est venu !...

Ah ! le vautour a mangé la colombe, le loup a mangé le mouton ; le lion a dévoré le buffle aux cornes aiguës ; l'homme a tué le lion avec la flèche, avec le glaive, avec la poudre ; mais le Horla va faire de l'homme ce que nous avons fait du cheval et
750 du bœuf : sa chose, son serviteur et sa nourriture, par la seule puissance de sa volonté. Malheur à nous !

Pourtant, l'animal, quelquefois, se révolte et tue celui qui l'a dompté... moi aussi je veux... je pourrai... mais il faut le

---

1. *Exorcisaient* : repoussaient avec des rites spécifiques.
2. *Évoquaient* : invoquaient, cherchaient à faire apparaître par la magie.
3. *Farfadets* : petits lutins.
4. Le nom du «Horla» peut se décomposer en «hors» et «là», ce qu'éclaire le thème du dédoublement. Mis face à son double, le personnage a le sentiment de sortir de lui-même.

connaître, le toucher, le voir! Les savants disent que l'œil de la
755 bête, différent du nôtre, ne distingue point comme le nôtre... Et
mon œil à moi ne peut distinguer le nouveau venu qui
m'opprime.

Pourquoi? Oh! je me rappelle à présent les paroles du moine
du mont Saint-Michel : «Est-ce que nous voyons la cent millième
760 partie de ce qui existe? Tenez, voici le vent qui est la plus grande
force de la nature, qui renverse les hommes, abat les édifices,
déracine les arbres, soulève la mer en montagnes d'eau, détruit
les falaises et jette aux brisants les grands navires, le vent qui tue,
qui siffle, qui gémit, qui mugit, l'avez-vous vu et pouvez-vous le
765 voir : Il existe pourtant!»

Et je songeais encore : mon œil est si faible, si imparfait, qu'il
ne distingue même point les corps durs, s'ils sont transparents
comme le verre!... Qu'une glace sans tain[1] barre mon chemin,
il me jette dessus comme l'oiseau entré dans une chambre se
770 casse la tête aux vitres. Mille choses en outre le trompent et l'éga-
rent? Quoi d'étonnant, alors, à ce qu'il ne sache point apercevoir un corps nouveau que la lumière traverse.

Un être nouveau! pourquoi pas? Il devait venir assurément!
pourquoi serions-nous les derniers? Nous ne le distinguons
775 point, ainsi que tous les autres créés avant nous? C'est que sa
nature est plus parfaite, son corps plus fin et plus fini que le
nôtre, que le nôtre si faible, si maladroitement conçu, encombré
d'organes toujours fatigués, toujours forcés comme des ressorts
trop complexes, que le nôtre, qui vit comme une plante et
780 comme une bête, en se nourrissant péniblement d'air, d'herbe et
de viande, machine animale en proie aux maladies, aux déforma-
tions, aux putréfactions[2], poussive[3], mal réglée, naïve et bizarre,

---

1. *Glace sans tain* : miroir à double face qui réfléchit l'image sur un de ses
côtés seulement. L'autre face est transparente, pour celui qui la regarde.
2. *Putréfactions* : pourrissements.
3. *Poussive* : qui avance péniblement.

ingénieusement mal faite, œuvre grossière et délicate, ébauche d'être qui pourrait devenir intelligent et superbe.

785 Nous sommes quelques-uns, si peu sur ce monde, depuis l'huître jusqu'à l'homme. Pourquoi pas un de plus, une fois accomplie la période qui sépare les apparitions successives de toutes les espèces diverses ?

Pourquoi pas un de plus ? Pourquoi pas aussi d'autres arbres 790 aux fleurs immenses, éclatantes et parfumant des régions entières ? Pourquoi pas d'autres éléments que le feu, l'air, la terre et l'eau ? – Ils sont quatre, rien que quatre, ces pères nourriciers des êtres ! Quelle pitié ! Pourquoi ne sont-ils pas quarante, quatre cents, quatre mille ! Comme tout est pauvre, mesquin[1], misé- 795 rable ! avarement donné, sèchement inventé, lourdement fait ! Ah ! l'éléphant, l'hippopotame, que de grâce ! Le chameau, que d'élégance !

Mais, direz-vous, le papillon ! une fleur qui vole ! J'en rêve un qui serait grand comme cent univers, avec des ailes dont je ne 800 puis même exprimer la forme, la beauté, la couleur et le mouve- ment. Mais je le vois… il va d'étoile en étoile, les rafraîchissant et les embaumant au souffle harmonieux et léger de sa course !… Et les peuples de là-haut le regardent passer, extasiés[2] et ravis !…
....

Qu'ai-je donc ? C'est lui, lui, le Horla, qui me hante, qui me 805 fait penser ces folies ! Il est en moi, il devient mon âme ; je le tuerai !

19 août. – Je le tuerai. Je l'ai vu ! je me suis assis hier soir, à ma table ; et je fis semblant d'écrire avec une grande attention. Je savais bien qu'il viendrait rôder autour de moi, tout près, si près 810 que je pourrais peut-être le toucher, le saisir ? Et alors !… alors, j'aurais la force des désespérés ; j'aurais mes mains, mes genoux, ma poitrine, mon front, mes dents pour l'étrangler, l'écraser, le mordre, le déchirer.

---

1. *Mesquin* : de peu de valeur, médiocre.
2. *Extasiés* : éblouis.

Et je le guettais avec tous mes organes surexcités.

815   J'avais allumé mes deux lampes et les huit bougies de ma che-minée, comme si j'eusse pu, dans cette clarté, le découvrir.

En face de moi, mon lit, un vieux lit de chêne à colonnes ; à droite, ma cheminée ; à gauche, ma porte fermée avec soin, après l'avoir laissée longtemps ouverte, afin de l'attirer ; derrière moi,
820 une très haute armoire à glace, qui me servait chaque jour, pour me raser, pour m'habiller, et où j'avais coutume de me regarder, de la tête aux pieds, chaque fois que je passais devant.

Donc, je faisais semblant d'écrire, pour le tromper, car il m'épiait lui aussi ; et soudain, je sentis, je fus certain qu'il lisait
825 par-dessus mon épaule, qu'il était là, frôlant mon oreille.

Je me dressai, les mains tendues, en me tournant si vite que je faillis tomber. Eh ! bien ?… on y voyait comme en plein jour, et je ne me vis pas dans ma glace !… Elle était vide, claire, pro-fonde, pleine de lumière ! Mon image n'était pas dedans… et
830 j'étais en face, moi ! Je voyais le grand verre limpide du haut en bas. Et je regardais cela avec des yeux affolés ; et je n'osais plus avancer, je n'osais plus faire un mouvement, sentant bien pour-tant qu'il était là, mais qu'il m'échapperait encore, lui dont le corps imperceptible avait dévoré mon reflet.

835   Comme j'eus peur ! Puis voilà que tout à coup je commençai à m'apercevoir dans une brume, au fond du miroir, dans une brume comme à travers une nappe d'eau ; et il me semblait que cette eau glissait de gauche à droite, lentement, rendant plus pré-cise mon image, de seconde en seconde. C'était comme la fin
840 d'une éclipse. Ce qui me cachait ne paraissait point posséder de contours nettement arrêtés, mais une sorte de transparence opaque, s'éclaircissant peu à peu.

Je pus enfin me distinguer complètement, ainsi que je le fais chaque jour en me regardant.

845   Je l'avais vu ! L'épouvante m'en est restée, qui me fait encore frissonner.

20 août. – Le tuer, comment? puisque je ne peux l'atteindre? Le poison? mais il me verrait le mêler à l'eau; et nos poisons, d'ailleurs, auraient-ils un effet sur son corps imperceptible? 850 Non… non… sans aucun doute… Alors?… alors?…

21 août. – J'ai fait venir un serrurier de Rouen, et lui ai commandé pour ma chambre des persiennes[1] de fer, comme en ont, à Paris, certains hôtels particuliers, au rez-de-chaussée, par crainte des voleurs. Il me fera, en outre, une porte pareille. Je me 855 suis donné pour un poltron, mais je m'en moque!…

....

10 septembre. – Rouen, Hôtel Continental. C'est fait… c'est fait… mais est-il mort? J'ai l'âme bouleversée de ce que j'ai vu.

Hier donc, le serrurier ayant posé ma persienne et ma porte de fer, j'ai laissé tout ouvert jusqu'à minuit, bien qu'il commen-860 çât à faire froid.

Tout à coup, j'ai senti qu'il était là, et une joie, une joie folle m'a saisi. Je me suis levé lentement, et j'ai marché à droite, à gauche, longtemps pour qu'il ne devinât rien; puis j'ai ôté mes bottines et mis mes savates[2] avec négligence; puis j'ai fermé ma 865 persienne de fer, et revenant à pas tranquilles vers la porte, j'ai fermé la porte aussi à double tour. Retournant alors vers la fenêtre, je la fixai par un cadenas, dont je mis la clef dans ma poche.

Tout à coup, je compris qu'il s'agitait autour de moi, qu'il 870 avait peur à son tour, qu'il m'ordonnait de lui ouvrir. Je faillis céder; je ne cédai pas, mais m'adossant à la porte, je l'entre-bâillai, tout juste assez pour passer, moi, à reculons; et comme je suis très grand, ma tête touchait au linteau[3]. J'étais sûr qu'il n'avait pu s'échapper et je l'enfermai, tout seul, tout seul! Quelle

---

1. *Persiennes* : volets ajourés, qui protègent les fenêtres des intempéries et permettent de voir l'extérieur sans être vu.
2. *Savates* : pantoufles.
3. *Au linteau* : à la partie supérieure de la porte.

875 joie! Je le tenais! Alors, je descendis, en courant; je pris dans
mon salon, sous ma chambre, mes deux lampes et je renversai
toute l'huile sur le tapis, sur les meubles, partout; puis j'y mis le
feu, et je me sauvai, après avoir bien refermé, à double tour, la
grande porte d'entrée.

880   Et j'allai me cacher au fond de mon jardin, dans un massif de
lauriers. Comme ce fut long! comme ce fut long! Tout était noir,
muet, immobile; pas un souffle d'air, pas une étoile, des montagnes de nuages qu'on ne voyait point, mais qui pesaient sur
mon âme si lourds, si lourds.

885   Je regardais ma maison, et j'attendais. Comme ce fut long! Je
croyais déjà que le feu s'était éteint tout seul, ou qu'il l'avait
éteint, Lui, quand une des fenêtres d'en bas creva sous la poussée
de l'incendie, et une flamme, une grande flamme rouge et jaune,
longue, molle, caressante, monta le long du mur blanc et le baisa
890 jusqu'au toit. Une lueur courut dans les arbres, dans les
branches, dans les feuilles, et un frisson, un frisson de peur
aussi! Les oiseaux se réveillaient; un chien se mit à hurler; il me
sembla que le jour se levait! Deux autres fenêtres éclatèrent aussitôt, et je vis que tout le bas de ma demeure n'était plus qu'un
895 effrayant brasier. Mais un cri, un cri horrible, suraigu, déchirant,
un cri de femme passa dans la nuit, et deux mansardes[1]
s'ouvrirent! J'avais oublié mes domestiques! Je vis leurs faces
affolées, et leurs bras qui s'agitaient!…

    Alors, éperdu d'horreur, je me mis à courir vers le village en
900 hurlant: «Au secours! au secours! au feu! au feu!» Je rencontrai
des gens qui s'en venaient déjà et je retournai avec eux, pour
voir!

    La maison, maintenant, n'était plus qu'un bûcher horrible et
magnifique, un bûcher monstrueux, éclairant toute la terre, un
905 bûcher où brûlaient des hommes, et où il brûlait aussi, Lui, Lui,
mon prisonnier, l'Être nouveau, le nouveau maître, le Horla!

---

1. *Mansardes* : pièces aménagées sous les toits d'une maison et réservées
aux domestiques. Ici, le terme désigne les fenêtres de ces petites pièces.

Soudain le toit tout entier s'engloutit entre les murs, et un volcan de flammes jaillit jusqu'au ciel. Par toutes les fenêtres ouvertes sur la fournaise, je voyais la cuve de feu, et je pensais
910 qu'il était là, dans ce four, mort...

– Mort? Peut-être?... Son corps? son corps que le jour traversait n'était-il pas indestructible par les moyens qui tuent les nôtres?

S'il n'était pas mort?... seul peut-être le temps a prise sur
915 l'Être Invisible et Redoutable. Pourquoi ce corps transparent, ce corps inconnaissable, ce corps d'Esprit, s'il devait craindre, lui aussi, les maux, les blessures, les infirmités, la destruction prématurée?

La destruction prématurée? toute l'épouvante humaine vient
920 d'elle! Après l'homme le Horla. – Après celui qui peut mourir tous les jours, à toutes les heures, à toutes les minutes, par tous les accidents, est venu celui que ne doit mourir qu'à son jour, à son heure, à sa minute, parce qu'il a touché la limite de son existence!

925 Non... non... sans aucun doute, sans aucun doute... il n'est pas mort... Alors... alors... il va donc falloir que je me tue moi!...

....

Un fou?

À *Pierre Decourcelle*[1].

Quand on me dit : «Vous savez que Jacques Parent est mort fou dans une maison de santé[2]», un frisson douloureux, un frisson de peur et d'angoisse me courut le long des os; et je le revis brusquement, ce grand garçon étrange, fou depuis longtemps
5 peut-être, maniaque[3] inquiétant, effrayant même.

C'était un homme de quarante ans, haut, maigre, un peu voûté, avec des yeux d'halluciné, des yeux noirs, si noirs qu'on ne distinguait pas la pupille, des yeux mobiles, rôdeurs, malades, hantés. Quel être singulier, troublant qui apportait, qui jetait un
10 malaise autour de lui, un malaise vague, de l'âme, du corps, un de ces énervements[4] incompréhensibles qui font croire à des influences surnaturelles.

Il avait un tic gênant : la manie de cacher ses mains. Presque jamais il ne les laissait errer, comme nous faisons tous sur les
15 objets, sur les tables. Jamais il ne maniait les choses traînantes avec ce geste familier qu'ont presque tous les hommes. Jamais il ne les laissait nues, ses longues mains osseuses, fines, un peu fébriles[5].

---

1. *Pierre Decourcelle* (1856-1926) : auteur dramatique, collaborateur du journal *Le Gaulois*, comme Maupassant.
2. *Maison de santé* : institut psychiatrique.
3. *Maniaque* : fou.
4. *Énervements* : agitations nerveuses.
5. *Fébriles* : nerveuses, fiévreuses.

Il les enfonçait dans ses poches, sous les revers de ses aisselles
20 en croisant les bras. On eût dit qu'il avait peur qu'elles ne fissent,
malgré lui, quelque besogne défendue, qu'elles n'accomplissent
quelque action honteuse ou ridicule s'il les laissait libres et maî-
tresses de leurs mouvements.

Quand il était obligé de s'en servir pour tous les usages ordi-
25 naires de la vie, il le faisait par saccades brusques, par élans
rapides du bras comme s'il n'eût pas voulu leur laisser le temps
d'agir par elles-mêmes, de se refuser à sa volonté, d'exécuter
autre chose. À table, il saisissait son verre, sa fourchette ou son
couteau si vivement qu'on n'avait jamais le temps de prévoir ce
30 qu'il voulait faire avant qu'il ne l'eût accompli.

Or, j'eus un soir l'explication de la surprenante maladie de
son âme.

Il venait passer de temps en temps quelques jours chez moi, à
la campagne, et ce soir-là il me paraissait particulièrement agité !
35 Un orage montait dans le ciel, étouffant et noir, après une
journée d'atroce chaleur. Aucun souffle d'air ne remuait les
feuilles. Une vapeur chaude de four passait sur les visages, faisait
haleter[1] les poitrines. Je me sentais mal à l'aise, agité, et je voulus
gagner mon lit.

40 Quand il me vit me lever pour partir, Jacques Parent me saisit
le bras d'un geste effaré[2].

« Oh ! non, reste encore un peu », me dit-il.

Je le regardai avec surprise en murmurant :

« C'est que cet orage me secoue les nerfs. »

45 Il gémit, ou plutôt il cria :

« Et moi donc ! Oh ! reste, je te prie ; je ne voudrais pas demeu-
rer seul. »

Il avait l'air affolé.

Je prononçai :

---

1. *Haleter* : respirer avec précipitation, par saccades.
2. *Effaré* : affolé.

50 «Qu'est-ce que tu as? Perds-tu la tête?»

Et il balbutia :

«Oui, par moments, dans les soirs comme celui-ci, dans les soirs d'électricité... j'ai... j'ai... j'ai peur... j'ai peur de moi... tu ne me comprends pas? C'est que je suis doué d'un pouvoir...
55 non... d'une puissance... non... d'une force... Enfin je ne sais pas dire ce que c'est, mais j'ai en moi une action magnétique si extraordinaire[1] que j'ai peur, oui, j'ai peur de moi, comme je te le disais tout à l'heure!»

Et il cachait, avec des frissons éperdus[2], ses mains vibrantes
60 sous les revers de sa jaquette[3]. Et moi-même je me sentis soudain tout tremblant d'une crainte confuse, puissante, horrible. J'avais envie de partir, de me sauver, de ne plus le voir, de ne plus voir son œil errant passer sur moi, puis s'enfuir, tourner autour du plafond, chercher quelque coin sombre de la pièce pour s'y fixer,
65 comme s'il eût voulu cacher aussi son regard redoutable.

Je balbutiai :

«Tu ne m'avais jamais dit ça!»

Il reprit :

«Est-ce que j'en parle à personne? Tiens, écoute, ce soir je ne
70 puis me taire. Et j'aime mieux que tu saches tout; d'ailleurs, tu pourras me secourir.

«Le magnétisme! Sais-tu ce que c'est? Non. Personne ne sait. On le constate pourtant. On le reconnaît, les médecins eux-mêmes le pratiquent; un des plus illustres, M. Charcot[4], le pro-
75 fesse; donc, pas de doute, cela existe.

«Un homme, un être a le pouvoir, effrayant et incompréhensible, d'endormir, par la force de sa volonté, un autre être, et, pendant qu'il dort, de lui voler sa pensée comme on volerait une

---

1. *Extraordinaire* : qui sort de l'ordinaire, au sens propre.
2. *Éperdus* : désemparés.
3. *Jaquette* : vêtement masculin, serré à la taille.
4. Sur le *magnétisme* et *Charcot*, voir présentation, p. 16-19.

bourse. Il lui vole sa pensée, c'est-à-dire son âme, l'âme, ce sanc-
80 tuaire, ce secret du Moi, l'âme, ce fond de l'homme qu'on croyait
impénétrable, l'âme, cet asile[1] des inavouables idées, de tout ce
qu'on cache, de tout ce qu'on aime, de tout ce qu'on veut celer[2]
à tous les humains, il l'ouvre, la viole, l'étale, la jette au public!
N'est-ce pas atroce, criminel, infâme?

85   «Pourquoi, comment cela se fait-il? Le sait-on? Mais que
sait-on?

       «Tout est mystère. Nous ne communiquons avec les choses
que par nos misérables sens, incomplets, infirmes, si faibles
qu'ils ont à peine la puissance de constater ce qui nous entoure.
90 Tout est mystère. Songe à la musique, cet art divin, cet art qui
bouleverse l'âme, l'emporte, la grise[3], l'affole, qu'est-ce donc?
Rien.

       «Tu ne me comprends pas? Écoute. Deux corps se heurtent.
L'air vibre. Ces vibrations sont plus ou moins nombreuses, plus
95 ou moins rapides, plus ou moins fortes, selon la nature du choc.
Or nous avons dans l'oreille une petite peau qui reçoit ces vibrations de l'air et les transmet au cerveau sous forme de son. Imagine qu'un verre d'eau se change en vin dans ta bouche. Le
tympan accomplit cette incroyable métamorphose, ce surprenant
100 miracle de changer le mouvement en son. Voilà.

       «La musique, cet art complexe et mystérieux, précis comme
l'algèbre[4] et vague comme un rêve, cet art fait de mathématiques
et de brise, ne vient donc que de la propriété étrange d'une petite
peau. Elle n'existerait point, cette peau, que le son non plus
105 n'existerait pas, puisque par lui-même il n'est qu'une vibration.
Sans l'oreille, devinerait-on la musique? Non. Eh bien! nous

---

1. *Asile* : refuge.
2. *Celer* : cacher.
3. *La grise* : l'enivre.
4. *Algèbre* : branche des mathématiques qui résout des problèmes par des
formules.

sommes entourés de choses que nous ne soupçonnerons jamais, parce que les organes nous manquent qui nous les révéleraient.

«Le magnétisme est de celles-là peut-être. Nous ne pouvons
110 que pressentir cette puissance, que tenter en tremblant ce voisinage des esprits, qu'entrevoir ce nouveau secret de la nature, parce que nous n'avons point en nous l'instrument révélateur.

«Quant à moi... Quant à moi, je suis doué d'une puissance affreuse. On dirait un autre être enfermé en moi, qui veut sans
115 cesse s'échapper, agir malgré moi, qui s'agite, me ronge, m'épuise. Quel est-il? Je ne sais pas, mais nous sommes deux dans mon pauvre corps, et c'est lui, l'autre, qui est souvent le plus fort, comme ce soir.

«Je n'ai qu'à regarder les gens pour les engourdir[1] comme si
120 je leur avais versé de l'opium[2]. Je n'ai qu'à étendre les mains pour produire des choses... des choses... terribles. Si tu savais? Oui. Si tu savais? Mon pouvoir ne s'étend pas seulement sur les hommes, mais aussi sur les animaux et même... sur les objets...

«Cela me torture et m'épouvante. J'ai eu envie souvent de me
125 crever les yeux et de me couper les poignets.

«Mais je vais... je veux que tu saches tout. Tiens. Je vais te montrer cela... non pas sur des créatures humaines, c'est ce qu'on fait partout, mais sur... sur... des bêtes.

«Appelle Mirza.»

130 Il marchait à grands pas avec des airs d'halluciné, et il sortit ses mains cachées dans sa poitrine. Elles me semblèrent effrayantes comme s'il eût mis à nu deux épées.

Et je lui obéis machinalement, subjugué[3], vibrant de terreur et dévoré d'une sorte de désir impétueux[4] de voir. J'ouvris la
135 porte et je sifflai ma chienne qui couchait dans le vestibule.

---

1. *Engourdir* : affaiblir, endormir.
2. *Opium* : drogue obtenue à partir du pavot, en vogue au XIXe siècle. Elle a un effet soporifique.
3. *Subjugué* : obéissant avec soumission.
4. *Impétueux* : ardent, bouillant.

J'entendis aussitôt le bruit précipité de ses ongles sur les marches de l'escalier, et elle apparut, joyeuse, remuant la queue.

Puis je lui fis signe de se coucher sur un fauteuil ; elle y sauta, et Jacques se mit à la caresser en la regardant.

140 D'abord, elle sembla inquiète ; elle frissonnait, tournait la tête pour éviter l'œil fixe de l'homme, semblait agitée d'une crainte grandissante. Tout à coup, elle commença à trembler, comme tremblent les chiens. Tout son corps palpitait[1], secoué de longs frissons, et elle voulut s'enfuir. Mais il posa sa main sur le 145 crâne de l'animal qui poussa, sous ce toucher, un de ces longs hurlements qu'on entend, la nuit, dans la campagne.

Je me sentais moi-même engourdi, étourdi, ainsi qu'on l'est lorsqu'on monte en barque. Je voyais se pencher les meubles, remuer les murs. Je balbutiai : «Assez, Jacques, assez.» Mais il ne 150 m'écoutait plus, il regardait Mirza d'une façon continue, effrayante. Elle fermait les yeux maintenant et laissait tomber sa tête comme on fait en s'endormant. Il se tourna vers moi.

«C'est fait, dit-il, vois maintenant.»

Et jetant son mouchoir de l'autre côté de l'appartement, il 155 cria : «Apporte !»

La bête alors se souleva et chancelant[2], trébuchant comme si elle eût été aveugle, remuant ses pattes comme les paralytiques remuent leurs jambes, elle s'en alla vers le linge qui faisait une tache blanche contre le mur. Elle essaya plusieurs fois de le 160 prendre dans sa gueule, mais elle mordait à côté comme si elle ne l'eût pas vu. Elle le saisit enfin, et revint de la même allure ballottée[3] de chien somnambule[4].

C'était une chose terrifiante à voir. Il commanda : «Couche-toi.» Elle se coucha. Alors, lui touchant le front, il dit : «Un

---

1. *Palpitait* : était agité de mouvements irréguliers.
2. *Chancelant* : oscillant, en déséquilibre.
3. *Ballottée* : agitée.
4. *Somnambule* : souffrant d'un trouble du sommeil qui pousse à accomplir inconsciemment des gestes pendant la nuit (parole, marche, etc.).

165 lièvre, pille, pille[1].» Et la bête, toujours sur le flanc, essaya de courir, s'agita comme font les chiens qui rêvent, et poussa, sans ouvrir la gueule, des petits aboiements étranges, des aboiements de ventriloque[2].

Jacques semblait devenu fou. La sueur coulait de son front. Il
170 cria : «Mords-le, mords ton maître.» Elle eut deux ou trois soubresauts[3] terribles. On eût juré qu'elle résistait, qu'elle luttait. Il répéta : «Mords-le.» Alors, se levant, ma chienne s'en vint vers moi, et moi je reculais vers la muraille, frémissant d'épouvante, le pied levé pour la frapper, pour la repousser.

175 Mais Jacques ordonna : «Ici, tout de suite.» Elle se retourna vers lui. Alors, de ses deux grandes mains, il se mit à lui frotter la tête comme s'il l'eût débarrassée de liens invisibles.

Mirza rouvrit les yeux : «C'est fini», dit-il.

Je n'osais point la toucher et je poussai la porte pour qu'elle
180 s'en allât. Elle partit lentement, tremblante, épuisée, et j'entendis de nouveau ses griffes frapper les marches.

Mais Jacques revint vers moi : «Ce n'est pas tout. Ce qui m'effraie le plus, c'est ceci, tiens. Les objets m'obéissent.»

Il y avait sur ma table une sorte de couteau-poignard dont je
185 me servais pour couper les feuillets des livres. Il allongea sa main vers lui. Elle semblait ramper, s'approchait lentement ; et tout d'un coup je vis, oui, je vis le couteau lui-même tressaillir, puis il remua, puis il glissa doucement, tout seul, sur le bois vers la main arrêtée qui l'attendait, et il vint se placer sous ses doigts.

190 Je me mis à crier de terreur. Je crus que je devenais fou moi-même, mais le son aigu de ma voix me calma soudain.

Jacques reprit :

---

1. *Pille* : jette-toi sur le gibier (terme de chasse).
2. *Ventriloque* : homme qui parle sans remuer les lèvres, d'une voix qui semble venir du ventre.
3. *Soubresauts* : secousses.

«Tous les objets viennent ainsi vers moi. C'est pour cela que je cache mes mains. Qu'est cela? Du magnétisme, de l'électri-
195 cité, de l'aimant? Je ne sais pas, mais c'est horrible.

«Et comprends-tu pourquoi c'est horrible? Quand je suis seul, aussitôt que je suis seul, je ne puis m'empêcher d'attirer tout ce qui m'entoure.

«Et je passe des jours entiers à changer des choses de place,
200 ne me lassant jamais d'essayer ce pouvoir abominable, comme pour voir s'il ne m'a pas quitté.»

Il avait enfoui ses grandes mains dans ses poches et il regardait dans la nuit. Un petit bruit, un frémissement léger semblait passer dans les arbres.

205 C'était la pluie qui commençait à tomber.

Je murmurai : «C'est effrayant!»

Il répéta : «C'est horrible.»

Une rumeur accourut dans ce feuillage, comme un coup de vent. C'était l'averse, l'ondée[1] épaisse, torrentielle.

210 Jacques se mit à respirer par grands souffles qui soulevaient sa poitrine.

«Laisse-moi, dit-il, la pluie va me calmer. Je désire être seul à présent.»

---

1. **Ondée** : pluie.

Lui?

Mon cher ami, tu n'y comprends rien? Et je le conçois. Tu me crois devenu fou? Je le suis peut-être un peu, mais non pas pour les raisons que tu supposes.

Oui. Je me marie. Voilà.

5 Et pourtant mes idées et mes convictions n'ont pas changé. Je considère l'accouplement légal comme une bêtise. Je suis certain que huit maris sur dix sont cocus. Et ils ne méritent pas moins pour avoir eu l'imbécillité d'enchaîner leur vie, de renoncer à l'amour libre, la seule chose gaie et bonne au monde, de 10 couper l'aile à la fantaisie qui nous pousse sans cesse à toutes les femmes, etc., etc. Plus que jamais, je me sens incapable d'aimer une femme, parce que j'aimerai toujours trop toutes les autres. Je voudrais avoir mille bras, mille lèvres et mille... tempéraments pour pouvoir étreindre en même temps une armée de ces êtres 15 charmants et sans importance.

Et cependant je me marie.

J'ajoute que je ne connais guère ma femme de demain. Je l'ai vue seulement quatre ou cinq fois. Je sais qu'elle ne me déplaît point; cela me suffit pour ce que j`en veux faire. Elle est petite, 20 blonde et grasse. Après demain, je désirerai ardemment une femme grande, brune et mince.

Elle n'est pas riche. Elle appartient à une famille moyenne. C'est une jeune fille comme on en trouve à la grosse[1], bonnes à marier, sans qualités et sans défauts apparents, dans la bourgeoi-25 sie ordinaire. On dit d'elle : «Mlle Lajolle est bien gentille.» On

---

1. *À la grosse* : en grande quantité (vieilli).

dira demain : «Elle est fort gentille, Mme Raymon.» Elle appartient enfin à la légion[1] des jeunes filles honnêtes «dont on est heureux de faire sa femme» jusqu'au jour où on découvre qu'on préfère justement toutes les autres femmes à celle qu'on a choisie.

Alors pourquoi me marier, diras-tu ?

J'ose à peine t'avouer l'étrange et invraisemblable raison qui me pousse à cet acte insensé. Je me marie pour n'être pas seul !

Je ne sais comment dire cela, comment te faire comprendre. Tu auras pitié de moi, et tu me mépriseras, tant mon état d'esprit est misérable.

Je ne veux plus être seul la nuit. Je veux sentir un être près de moi, contre moi, un être qui peut parler, dire quelque chose, n'importe quoi.

Je veux pouvoir briser son sommeil ; lui poser une question brusquement, une question stupide pour entendre une voix, pour sentir une âme en éveil, un raisonnement en travail, pour voir, allumant brusquement ma bougie, une figure humaine à mon côté…, parce que… parce que… je n'ose pas avouer cette honte… parce que j'ai peur tout seul.

Oh ! tu ne me comprends pas encore.

Je n'ai pas peur d'un danger. Un homme entrerait, je le tuerais sans frissonner. Je n'ai pas peur des revenants ; je ne crois pas au surnaturel. Je n'ai pas peur des morts ; je crois à l'anéantissement définitif de chaque être qui disparaît.

Alors !… oui. Alors !… Eh bien ! J'ai peur de moi ! j'ai peur de la peur ; peur des spasmes[2] de mon esprit qui s'affole, peur de cette horrible sensation de la terreur incompréhensible. Ris si tu veux. Cela est affreux, inguérissable. J'ai peur des murs, des meubles, des objets familiers qui s'animent, pour moi, d'une sorte de vie animale. J'ai peur surtout du trouble horrible de ma

---

1. *Légion* : troupe.
2. *Spasmes* : mouvements incontrôlables.

pensée, de ma raison qui s'échappe brouillée, dispersée par une mystérieuse et invisible angoisse.

Je sens d'abord une vague inquiétude qui me passe dans l'âme et me fait courir un frisson sur la peau. Je regarde autour de moi. Rien! Et je voudrais quelque chose! Quoi? Quelque chose de compréhensible. Puisque j'ai peur uniquement parce que je ne comprends pas ma peur.

Je parle! j'ai peur de ma voix. Je marche! j'ai peur de l'inconnu de derrière la porte, de derrière le rideau, de dans l'armoire, de sous le lit. Et pourtant, je sais qu'il n'y a rien nulle part.

Je me retourne brusquement parce que j'ai peur de ce qui est derrière moi, bien qu'il n'y ait rien et que je le sache.

Je m'agite, je sens mon effarement[1] grandir; et je m'enferme dans ma chambre; et je m'enfonce dans mon lit, et je me cache sous mes draps; et blotti, roulé comme une boule, je ferme les yeux désespérément, et je demeure ainsi pendant un temps infini avec cette pensée que ma bougie demeure allumée sur ma table de nuit et qu'il faudrait pourtant l'éteindre. Et je n'ose pas.

N'est-ce pas affreux, d'être ainsi?

Autrefois, je n'éprouvais rien de cela. Je rentrais tranquillement. J'allais et je venais en mon logis sans que rien ne troublât la sérénité[2] de mon âme. Si l'on m'avait dit quelle maladie de peur invraisemblable, stupide et terrible, devait me saisir un jour, j'aurais bien ri; j'ouvrais les portes dans l'ombre avec assurance : je me couchais lentement, sans pousser les verrous et je ne me relevais jamais au milieu des nuits pour m'assurer que toutes les issues de ma chambre étaient fortement closes.

Cela a commencé l'an dernier d'une singulière façon.

C'était en automne, par un soir humide. Quand ma bonne fut partie, après mon dîner, je me demandai ce que j'allais faire.

---

1. Mon effarement : ma surprise affolée.
2. Sérénité : tranquillité.

Je marchai quelque temps à travers ma chambre. Je me sentais las[1], accablé sans raison, incapable de travailler, sans force
90 même pour lire. Une pluie fine mouillait les vitres ; j'étais triste, tout pénétré par une de ces tristesses sans causes qui vous donnent envie de pleurer, qui vous font désirer de parler à n'importe qui pour secouer la lourdeur de notre pensée.

Je me sentais seul. Mon logis me paraissait vide comme il
95 n'avait jamais été. Une solitude infinie et navrante[2] m'entourait. Que faire ? Je m'assis. Alors une impatience nerveuse me courut dans les jambes. Je me relevai, et je me remis à marcher. J'avais peut-être aussi un peu de fièvre, car mes mains, que je tenais rejointes derrière mon dos, comme on fait souvent quand on se
100 promène avec lenteur, se brûlaient l'une à l'autre, et je le remarquai. Puis, soudain, un frisson de froid me courut dans le dos. Je pensai que l'humidité du dehors entrait chez moi, et l'idée de faire du feu me vint. J'en allumai ; c'était la première fois de l'année. Et je m'assis de nouveau en regardant la flamme. Mais
105 bientôt l'impossibilité de rester en place me fit encore me relever, et je sentis qu'il fallait m'en aller, me secouer, trouver un ami.

Je sortis. J'allai chez trois camarades que je ne rencontrai pas ; puis, je gagnai le boulevard[3], décidé à découvrir une personne de connaissance.

110 Il faisait triste partout. Les trottoirs trempés luisaient. Une tiédeur d'eau, une de ces tiédeurs qui vous glacent par frissons brusques, une tiédeur pesante de pluie impalpable[4] accablait la rue, semblait lasser et obscurcir la flamme du gaz[5].

J'allais d'un pas mou, me répétant : «Je ne trouverai personne
115 avec qui causer.»

---

1. Las : fatigué.
2. Navrante : qui rend profondément triste.
3. Boulevard : lieu de promenade très prisé dans le Paris du XIXᵉ siècle.
4. Impalpable : qu'on ne peut toucher.
5. L'éclairage des rues était assuré par des lampadaires fonctionnant au gaz.

J'inspectai plusieurs fois les cafés, depuis la Madeleine[1] jusqu'au faubourg Poissonnière[2]. Des gens tristes, assis devant des tables, semblaient n'avoir pas même la force de finir leurs consommations.

120 J'errai longtemps ainsi, et vers minuit, je me mis en route pour rentrer chez moi. J'étais fort calme, mais fort las. Mon concierge, qui se couche avant onze heures, m'ouvrit tout de suite, contrairement à son habitude; et je pensai : «Tiens, un autre locataire vient sans doute de remonter.»

125 Quand je sors de chez moi, je donne toujours à ma porte deux tours de clef. Je la trouvai simplement tirée et cela me frappa. Je supposai qu'on m'avait monté des lettres dans la soirée.

J'entrai. Mon feu brûlait encore et éclairait même un peu
130 l'appartement. Je pris une bougie pour aller l'allumer au foyer, lorsqu'en jetant les yeux devant moi, j'aperçus quelqu'un assis dans mon fauteuil, et qui se chauffait les pieds en me tournant le dos.

Je n'eus pas peur. Oh! non, pas le moins du monde. Une sup-
135 position très vraisemblable me traversa l'esprit; celle qu'un de mes amis était venu pour me voir. La concierge, prévenue par moi à ma sortie, avait dit que j'allais rentrer, avait prêté sa clef. Et toutes les circonstances de mon retour, en une seconde, me revinrent à la pensée : le cordon[3] tiré tout de suite, ma porte seu-
140 lement poussée.

Mon ami, dont je ne voyais que les cheveux, s'était endormi devant mon feu en m'attendant, et je m'avançai pour le réveiller. Je le voyais parfaitement, un de ses bras pendant à droite; ses

---

1. *Madeleine* : place située dans le 8e arrondissement de Paris, au nord-ouest de la ville.
2. *Faubourg Poissonnière* : quartier de Paris, aujourd'hui à cheval sur le 9e et le 10e arrondissement, au nord de la ville.
3. *Le cordon* : la petite corde qui permet au concierge d'ouvrir la porte de l'immeuble.

pieds étaient croisés l'un sur l'autre ; sa tête, penchée un peu sur
145 le côté gauche du fauteuil, indiquait bien le sommeil. Je me
demandais : «Qui est-ce ?» On y voyait peu d'ailleurs dans la
pièce, j'avançai la main pour lui toucher l'épaule !...

Je rencontrai le bois du siège ! Il n'y avait plus personne. Le
fauteuil était vide !

150 Quel sursaut, miséricorde[1] !

Je reculai d'abord comme si un danger terrible eût apparu
devant moi.

Puis je me retournai, sentant quelqu'un derrière mon dos ;
puis, aussitôt, un impérieux[2] besoin de revoir le fauteuil me fit
155 pivoter encore une fois. Et je demeurai debout, haletant[3] d'épouvante, tellement éperdu[4] que je n'avais plus une pensée, prêt à
tomber.

Mais je suis un homme de sang-froid, et tout de suite la raison
me revint. Je songeai : «Je viens d'avoir une hallucination, voilà
160 tout.» Et je réfléchis immédiatement sur ce phénomène. La
pensée va vite dans ces moments-là.

J'avais une hallucination – c'était là un fait incontestable. Or,
mon esprit était demeuré tout le temps lucide, fonctionnant régulièrement et logiquement. Il n'y avait donc aucun trouble du côté
165 du cerveau. Les yeux seuls s'étaient trompés, avaient trompé ma
pensée. Les yeux avaient eu une vision, une de ces visions qui
font croire aux miracles les gens naïfs. C'était là un accident nerveux de l'appareil optique, rien de plus, un peu de congestion[5]
peut-être.

170 Et j'allumai ma bougie. Je m'aperçus, en me baissant vers le
feu, que je tremblais, et je me relevai d'une secousse, comme si
on m'eût touché par derrière.

---

1. *Miséricorde* : exclamation qui marque la surprise et l'inquiétude.
2. *Impérieux* : irrésistible.
3. *Haletant* : respirant avec précipitation, par saccades.
4. *Éperdu* : désemparé.
5. *Congestion* : accumulation de sang dans un organe ou un tissu.

Je n'étais point tranquille, assurément.

Je fis quelques pas; je parlai haut. Je chantai à mi-voix
175 quelques refrains.

Puis je fermai la porte de ma chambre à double tour, et je me
sentis un peu rassuré. Personne ne pouvait entrer, au moins.

Je m'assis encore et je réfléchis longtemps à mon aventure;
puis je me couchai, et je soufflai ma lumière.
180 Pendant quelques minutes, tout alla bien. Je restais sur le dos,
assez paisiblement. Puis le besoin me vint de regarder dans ma
chambre; et je me mis sur le côté.

Mon feu n'avait plus que deux ou trois tisons rouges qui
éclairaient juste les pieds du fauteuil; et je crus revoir l'homme
185 assis dessus.

J'enflammai une allumette d'un mouvement rapide. Je
m'étais trompé et je ne voyais plus rien.

Je me levai, cependant, et j'allai cacher le fauteuil derrière
mon lit.
190 Puis je refis l'obscurité et je tâchai de m'endormir. Je n'avais
pas perdu connaissance depuis plus de cinq minutes, quand
j'aperçus, en songe, et nettement comme dans la réalité, toute la
scène de la soirée. Je me réveillai éperdument, et, ayant éclairé
mon logis, je demeurai assis dans mon lit, sans oser même
195 essayer de redormir.

Deux fois, cependant, le sommeil m'envahit, malgré moi,
pendant quelques secondes. Deux fois je revis la chose. Je me
croyais devenu fou.

Quand le jour parut, je me sentis guéri et je sommeillai paisi-
200 blement jusqu'à midi.

C'était fini, bien fini. J'avais eu la fièvre, le cauchemar, que sais-
je? J'avais été malade, enfin. Je me trouvai néanmoins fort bête.

Je fus très gai ce jour-là. Je dînai au cabaret[1]; j'allai voir le
spectacle[2], puis je me mis en chemin pour rentrer. Mais voilà

---

1. *Cabaret* : bar où l'on peut parfois manger.
2. Au XIXᵉ siècle, il est fréquent d'aller voir un spectacle (théâtre, opéra) après
avoir dîné.

²⁰⁵ qu'en approchant de ma maison, une inquiétude étrange me saisit. J'avais peur de le revoir, lui. Non pas peur de lui, non pas peur de sa présence, à laquelle je ne croyais point, mais j'avais peur d'un trouble nouveau de mes yeux, peur de l'hallucination, peur de l'épouvante qui me saisirait.

²¹⁰   Pendant plus d'une heure, j'errai de long en large sur le trottoir ; puis je me trouvais trop imbécile¹ à la fin et j'entrai. Je haletais tellement que je ne pouvais plus monter mon escalier. Je restai encore plus de dix minutes devant mon logement sur le palier, puis, brusquement, j'eus un élan de courage, un refroidis-
²¹⁵ sement de volonté. J'enfonçai ma clef ; je me précipitai en avant, une bougie à la main, je poussai d'un coup de pied la porte entrebâillée de ma chambre, et je jetai un regard effaré vers la cheminée. Je ne vis rien.

«Ah !...»

²²⁰   Quel soulagement ! Quelle joie ! Quelle délivrance ! J'allais et je venais d'un air gaillard. Mais je ne me sentais pas rassuré ; je me retournais par sursauts ; l'ombre des coins m'inquiétait.

Je dormis mal, réveillé sans cesse par des bruits imaginaires. Mais je ne le vis pas. Non. C'était fini !

²²⁵   Depuis ce jour-là, j'ai peur tout seul, la nuit. Je la sens là, près de moi, autour de moi, la vision. Elle ne m'est point apparue de nouveau. Oh non ! Et qu'importe, d'ailleurs, puisque je n'y crois pas, puisque je sais que ce n'est rien !

Elle me gêne cependant, parce que j'y pense sans cesse. – Une
²³⁰ main pendait du côté droit, sa tête était penchée du côté gauche comme celle d'un homme qui dort... Allons, assez, nom de Dieu ! je n'y veux plus songer !

Qu'est-ce que cette obsession, pourtant ? Pourquoi cette persistance ? Ses pieds étaient tout près du feu !

²³⁵   Il me hante, c'est fou, mais c'est ainsi. Qui, Il ? Je sais bien qu'il n'existe pas, que ce n'est rien ! Il n'existe que dans mon

---

1. *Imbécile* : faible (au sens propre).

appréhension[1], que dans ma crainte, que dans mon angoisse!
Allons, assez!...

Oui, mais j'ai beau me raisonner, me roidir[2], je ne peux plus
240 rester seul chez moi, parce qu'il y est. Je ne le verrai plus, je le
sais, il ne se montrera plus, c'est fini cela. Mais il y est tout de
même, dans ma pensée. Il demeure invisible, cela n'empêche
qu'il y soit. Il est derrière les portes, dans l'armoire fermée, sous
le lit, dans tous les coins obscurs, dans toutes les ombres. Si je
245 tourne la porte, si j'ouvre l'armoire, si je baisse ma lumière sous
le lit, si j'éclaire les coins, les ombres, il n'y est plus; mais alors
je le sens derrière moi. Je me retourne, certain, cependant, que
je ne le verrai pas, que je ne le verrai plus. Il n'en est pas moins
derrière moi, encore.
250 C'est stupide, mais c'est atroce. Que veux-tu? Je n'y peux
rien.

Mais si nous étions deux chez moi, je sens, oui, je sens assurément qu'il n'y serait plus! Car il est là parce que je suis seul, uniquement parce que je suis seul!

---

1. _Appréhension_ : vague crainte.
2. _Roidir_ : raidir, renforcer.

La Peur

À J.-K. Huysmans[1].

On remonta sur le pont[2] après dîner. Devant nous, la Méditerranée n'avait pas un frisson sur toute sa surface, qu'une grande lune calme moirait[3]. Le vaste bateau glissait, jetant sur le ciel, qui semblait ensemencé d'étoiles, un gros serpent de fumée noire; et, derrière nous, l'eau toute blanche, agitée par le passage rapide du lourd bâtiment, battue par l'hélice, moussait, semblait se tordre, remuait tant de clartés qu'on eût dit de la lumière de lune bouillonnante.

Nous étions là, six ou huit, silencieux, admirant, l'œil tourné vers l'Afrique lointaine où nous allions[4]. Le commandant, qui fumait un cigare au milieu de nous, reprit soudain la conversation du dîner.

«Oui, j'ai eu peur ce jour-là. Mon navire est resté six heures avec ce rocher dans le ventre, battu par la mer. Heureusement que nous avons été recueillis, vers le soir, par un charbonnier[5] anglais qui nous aperçut.»

Alors un grand homme à figure brûlée, à l'aspect grave, un de ces hommes qu'on sent avoir traversé de longs pays inconnus,

---

1. *Joris-Karl Huysmans* (1848-1907) : auteur français, célèbre notamment pour son roman *À rebours* (1884).
2. *Pont* : plancher fermant la coque d'un navire.
3. *Moirait* : rendait semblable à la moire, étoffe aux reflets chatoyants.
4. Maupassant a voyagé en Algérie en 1881.
5. *Charbonnier* : cargo qui transporte du charbon.

au milieu de dangers incessants, et dont l'œil tranquille semble
20 garder, dans sa profondeur, quelque chose des paysages étranges
qu'il a vus ; un de ces hommes qu'on devine trempés dans le courage[1], parla pour la première fois :

« Vous dites, commandant, que vous avez eu peur ; je n'en
crois rien. Vous vous trompez sur le mot et sur la sensation que
25 vous avez éprouvée. Un homme énergique n'a jamais peur en
face du danger pressant. Il est ému, agité, anxieux ; mais la peur,
c'est autre chose. »

Le commandant reprit en riant :

« Fichtre[2] ! je vous réponds bien que j'ai eu peur, moi. »

30 Alors l'homme au teint bronzé prononça d'une voix lente :

« Permettez-moi de m'expliquer ! La peur (et les hommes les
plus hardis peuvent avoir peur), c'est quelque chose d'effroyable,
une sensation atroce, comme une décomposition de l'âme, un
spasme[3] affreux de la pensée et du cœur, dont le souvenir seul
35 donne des frissons d'angoisse. Mais cela n'a lieu, quand on est
brave, ni devant une attaque, ni devant la mort inévitable, ni
devant toutes les formes connues du péril : cela a lieu dans certaines circonstances anormales, sous certaines influences mystérieuses, en face de risques vagues. La vraie peur, c'est quelque
40 chose comme une réminiscence[4] des terreurs fantastiques[5]
d'autrefois. Un homme qui croit aux revenants, et qui s'imagine
apercevoir un spectre dans la nuit, doit éprouver la peur en toute
son épouvantable horreur.

« Moi, j'ai deviné la peur en plein jour, il y a dix ans environ.
45 Je l'ai ressentie, l'hiver dernier, par une nuit de décembre.

« Et, pourtant, j'ai traversé bien des hasards, bien des aventures qui semblaient mortelles. Je me suis battu souvent. J'ai été

---

1. Trempés dans le courage : extrêmement courageux, semblables à un
métal chauffé que le forgeron a trempé dans l'eau pour le durcir.
2. Fichtre ! : exclamation qui appuie l'affirmation.
3. Spasme : mouvement incontrôlable.
4. Une réminiscence : un souvenir.
5. Fantastiques : surnaturelles.

laissé pour mort par des voleurs. J'ai été condamné, comme insurgé[1], à être pendu, en Amérique, et jeté à la mer du pont d'un bâtiment[2] sur les côtes de Chine. Chaque fois je me suis cru perdu, j'en ai pris immédiatement mon parti, sans attendrissement et même sans regrets.

«Mais la peur, ce n'est pas cela.

«Je l'ai pressentie en Afrique. Et pourtant elle est fille du Nord; le soleil la dissipe comme un brouillard. Remarquez bien ceci, messieurs. Chez les Orientaux, la vie compte pour rien; on est résigné tout de suite; les nuits sont claires et vides de légendes, les âmes aussi vides des inquiétudes sombres qui hantent les cerveaux dans les pays froids. En Orient, on peut connaître la panique, on ignore la peur.

«Eh bien! voici ce qui m'est arrivé sur cette terre d'Afrique:

«Je traversais les grandes dunes au sud de Ouargla[3]. C'est là un des plus étranges pays du monde. Vous connaissez le sable uni, le sable droit des interminables plages de l'Océan. Eh bien! figurez-vous l'Océan lui-même devenu sable au milieu d'un ouragan; imaginez une tempête silencieuse de vagues immobiles en poussière jaune. Elles sont hautes comme des montagnes, ces vagues inégales, différentes, soulevées tout à fait comme des flots déchaînés, mais plus grandes encore, et striées[4] comme de la moire. Sur cette mer furieuse, muette et sans mouvement, le dévorant soleil du Sud verse sa flamme implacable[5] et directe. Il faut gravir ces lames de cendre d'or, redescendre, gravir encore, gravir sans cesse, sans repos et sans ombre. Les chevaux râlent[6], enfoncent jusqu'aux genoux, et glissent en dévalant l'autre versant des surprenantes collines.

---

1. Insurgé : révolté.
2. Bâtiment : navire.
3. Ouargla : ville du sud de l'Algérie.
4. Striées : marquées de fins sillons parallèles.
5. Implacable : sans pitié.
6. Râlent : respirent avec un son rauque.

«Nous étions deux amis suivis de huit spahis[1] et de quatre chameaux avec leurs chameliers. Nous ne parlions plus, accablés de
chaleur, de fatigue, et desséchés de soif comme ce désert ardent.
Soudain un de ces hommes poussa une sorte de cri ; tous s'arrê-
80 tèrent ; et nous demeurâmes immobiles, surpris par un inexplicable phénomène connu des voyageurs en ces contrées perdues.

«Quelque part, près de nous, dans une direction indétermi-
née, un tambour battait, le mystérieux tambour des dunes ; il battait distinctement, tantôt plus vibrant, tantôt affaibli, arrêtant,
85 puis reprenant son roulement fantastique.

«Les Arabes, épouvantés, se regardaient ; et l'un dit, en sa
langue : "La mort est sur nous." Et voilà que tout à coup mon
compagnon, mon ami, presque mon frère, tomba de cheval, la
tête en avant, foudroyé par une insolation.

90 «Et pendant deux heures, pendant que j'essayais en vain de
le sauver, toujours ce tambour insaisissable m'emplissait l'oreille
de son bruit monotone, intermittent[2] et incompréhensible ; et je
sentais se glisser dans mes os la peur, la vraie peur, la hideuse
peur, en face de ce cadavre aimé, dans ce trou incendié par le
95 soleil entre quatre monts de sable, tandis que l'écho inconnu
nous jetait, à deux cents lieues de tout village français, le batte-
ment rapide du tambour.

«Ce jour-là, je compris ce que c'était que d'avoir peur ; je l'ai
su mieux encore une autre fois…»

100 Le commandant interrompit le conteur :

«Pardon, monsieur, mais ce tambour ? Qu'était-ce ?»

Le voyageur répondit :

«Je n'en sais rien. Personne ne sait. Les officiers, surpris souvent par ce bruit singulier, l'attribuent généralement à l'écho
105 grossi, multiplié, démesurément enflé par les vallonnements des

---

1. Spahis : cavaliers des corps auxiliaires indigènes de l'armée française en
Afrique du Nord.
2. Intermittent : qui s'arrête et reprend par intervalles.

dunes, d'une grêle de grains de sable emportés dans le vent et heurtant une touffe d'herbes sèches ; car on a toujours remarqué que le phénomène se produit dans le voisinage de petites plantes brûlées par le soleil, et dures comme du parchemin.

110 «Ce tambour ne serait donc qu'une sorte de mirage du son. Voilà tout. Mais je n'appris cela que plus tard.

«J'arrive à ma seconde émotion.

«C'était l'hiver dernier, dans une forêt du nord-est de la France. La nuit vint deux heures plus tôt, tant le ciel était sombre.
115 J'avais pour guide un paysan qui marchait à mon côté, par un tout petit chemin, sous une voûte de sapins dont le vent déchaîné tirait des hurlements. Entre les cimes[1], je voyais courir des nuages en déroute, des nuages éperdus[2] qui semblaient fuir devant une épouvante. Parfois, sous une immense rafale, toute la
120 forêt s'inclinait dans le même sens avec un gémissement de souffrance ; et le froid m'envahissait, malgré mon pas rapide et mon lourd vêtement.

«Nous devions souper et coucher chez un garde forestier[3] dont la maison n'était plus éloignée de nous. J'allais là pour
125 chasser.

«Mon guide, parfois, levait les yeux et murmurait : "Triste temps !" Puis il me parla des gens chez qui nous arrivions. Le père avait tué un braconnier deux ans auparavant, et, depuis ce temps, il semblait sombre, comme hanté d'un souvenir. Ses deux
130 fils, mariés, vivaient avec lui.

«Les ténèbres étaient profondes. Je ne voyais rien devant moi, ni autour de moi, et toute la branchure[4] des arbres entrechoqués emplissait la nuit d'une rumeur incessante. Enfin, j'aperçus une lumière, et bientôt mon compagnon heurtait une porte. Des cris

---

1. Cimes : sommets des arbres.
2. Éperdus : désemparés.
3. Garde forestier : employé chargé d'entretenir et de conserver la forêt.
4. La branchure : les branches.

135 aigus de femmes nous répondirent. Puis, une voix d'homme, une
voix étranglée, demanda : "Qui va là ?" Mon guide se nomma.
Nous entrâmes. Ce fut un inoubliable tableau.

«Un vieil homme à cheveux blancs, à l'œil fou, le fusil chargé
dans la main, nous attendait debout au milieu de la cuisine,
140 tandis que deux grands gaillards, armés de haches, gardaient la
porte. Je distinguai dans les coins sombres deux femmes à
genoux, le visage caché contre le mur.

«On s'expliqua. Le vieux remit son arme contre le mur et
ordonna de préparer ma chambre ; puis, comme les femmes ne
145 bougeaient point, il me dit brusquement :

«"Voyez-vous, monsieur, j'ai tué un homme, voilà deux ans
cette nuit. L'autre année, il est revenu m'appeler. Je l'attends
encore ce soir."

«Puis il ajouta d'un ton qui me fit sourire :

150 «"Aussi, nous ne sommes pas tranquilles."

«Je le rassurai comme je pus, heureux d'être venu justement
ce soir-là, et d'assister au spectacle de cette terreur superstitieuse.
Je racontai des histoires, et je parvins à calmer à peu près tout
le monde.

155 «Près du foyer, un vieux chien, presque aveugle et moustachu,
un de ces chiens qui ressemblent à des gens qu'on connaît, dormait le nez dans ses pattes.

«Au-dehors, la tempête acharnée battait la petite maison, et,
par un étroit carreau[1], une sorte de judas[2] placé près de la porte,
160 je voyais soudain tout un fouillis d'arbres bousculés par le vent
à la lueur de grands éclairs.

«Malgré mes efforts, je sentais bien qu'une terreur profonde
tenait ces gens, et chaque fois que je cessais de parler, toutes les
oreilles écoutaient au loin. Las[3] d'assister à ces craintes imbé-

---

1. *Un étroit carreau* : une vitre étroite.
2. *Judas* : petite ouverture permettant de voir qui se présente devant une
porte.
3. *Las* : fatigué.

Le miroir, reflet énigmatique

En renvoyant une image, le miroir crée un double. Cette apparition spéculaire devient troublante quand elle constitue un reflet méconnaissable. Nombreux sont les artistes à s'emparer de ce motif et à en explorer l'infinie plasticité. Présent dès les premières versions du « Horla », l'épisode du miroir (p. 67-68) est particulièrement inquiétant dans la nouvelle de Maupassant puisqu'il ne réfléchit pas l'homme qui s'y regarde.

▲ Léon Spilliaert, *Autoportrait au miroir*, 1908, encre, aquarelle, gouache sur papier.

▶ Charles Allan Gilbert (1873-1929), *All is Vanity*, 1892. Le titre de cette œuvre fait allusion au genre de la vanité : en vogue à la période baroque (première moitié du XVIIe siècle), ce type de nature morte fait figurer un crâne à côté d'objets du quotidien, pour rappeler la fragilité de la vie humaine. Ici, le contraste entre la frivolité de cette scène de toilette et la vision macabre qu'offre le tableau vu dans son ensemble fait du miroir un objet ambivalent.

▲ Pol Bury (1922-2005), *Autoportrait en miroir*. Influencé notamment par l'artiste américain Alexander Calder (1898-1976), ce plasticien belge est célèbre pour ses œuvres en mouvement, sculptures et fontaines qui jouent sur les effets d'instabilité et les variations de la lumière. Sur cette photographie, Pol Bury réalise un autoportrait déformé, qui met en évidence la complexité de notre vie intérieure et les méandres de notre personnalité.

▲ René Magritte (1898-1967), *La Reproduction interdite*, 1937, peinture à l'huile, musée Boijmans Van Beuningen, Rotterdam. René Magritte se réclame du surréalisme, mouvement artistique qui a pour but d'exprimer le rêve, le subconscient et une pensée libre de toute contrainte rationnelle. Ainsi, ses toiles entretiennent un rapport étroit avec le fantastique, mêlant représentation très réaliste du monde et fantaisie débridée. Dans ce tableau, la scène trouble le public à la fois par l'exactitude de sa composition et par l'impossibilité physique qu'elle donne à voir. René Magritte s'est fait le spécialiste de telles scènes surréelles, combinant par exemple jour et nuit sur une même toile (*L'Empire des lumières II*).

Les traitements de la folie au XIXᵉ siècle

Le siècle de Maupassant assiste à une évolution profonde de la perception de la folie par la société et la médecine. C'est à cette époque que se développe une approche scientifique et méthodique des troubles mentaux. La diversité des traitements révèle les efforts fournis par la communauté scientifique pour faire des « fous » des patients, sans les réduire à des excentriques ni les mettre au ban de la société.

▲ Les médecins essayent de soigner les troubles mentaux par l'hydrothérapie, thérapie utilisant les vertus de l'eau et inventée par le prêtre allemand Sebastian Kneipp (1821-1897). Ainsi, on administre aux patients des bains d'eau glacée et on leur verse sur la tête de l'eau froide, par surprise. Si ces méthodes brutales ont aujourd'hui disparu, l'hydrothérapie et la thalassothérapie sont encore largement utilisées dans le cadre de cures de bien-être et de renforcement des défenses immunitaires.
Dans « Le Horla », Maupassant fait allusion à la vogue de l'hydrothérapie (le narrateur doit prendre des « douches » pour soigner sa tension nerveuse, p. 41). Mais l'eau y est un élément ambivalent : selon le narrateur, c'est aussi par le fleuve que le Horla s'est introduit dans sa maison.

◀ Richard Bergh (1858-1919), *Séance d'hypnose*, 1887, Malmö Konstmuseum. Moyen d'influer sur l'activité mentale du patient, l'hypnose est utilisée par certains médecins pour traiter l'hystérie. En Europe, le phénomène fascine les milieux scientifiques et artistiques, et il n'est pas rare d'assister à des séances publiques.

▲ Keira Knightley (jouant le rôle de Sabina Spielrein) et Michael Fassbender (jouant le rôle de Carl Jung) dans *A Dangerous Method* de David Cronenberg, 2011.
Ce film met en scène les relations de Sigmund Freud (1856-1939), fondateur de la psychanalyse, de Carl Jung (1875-1961), son disciple, et de la patiente de ce dernier, Sabina Spielrein (1885-1942). Celle-ci deviendra la maîtresse de Jung. Pour soigner la folie, la psychanalyse propose un traitement par la parole, qui incite le malade à explorer ses désirs inconscients et les traumatismes à l'origine de ses troubles. L'expression de l'actrice traduit toute la tension physique et mentale du fou, alors que la placidité et le flegme du médecin sont les signes d'une approche rigoureuse et méthodique.

L'apparition

Le siècle de Maupassant accorde un intérêt indéniable aux phénomènes surnaturels : à cette époque fleurissent le magnétisme (voir p. 18-19) et le spiritisme, science occulte par le biais de laquelle ceux qui la pratiquent tentent de parler aux morts. En multipliant les représentations de fantômes ou d'apparitions mystiques, la littérature et les arts visuels témoignent de cet engouement.

▶ Odilon Redon (1840-1916), *L'Apparition*, huile sur toile, Otterlo, Rijksmuseum Kroller-Muller. Le peintre donne à voir une apparition, auréolée d'un halo de lumière. Représenter ce genre de scènes reste un défi pour les artistes, qu'ils soient plasticiens ou écrivains : ils doivent retranscrire l'ambiguïté de la vision, dont le spectateur ne sait si elle est réelle ou s'il s'agit d'un fantasme issu de l'imagination.

◀ Roger Child Bayley, photographie spirite, 1910. Dès les années 1870, des groupes de spiritisme s'emparent de la photographie, technique nouvelle et « objective », pour « représenter » des phénomènes surnaturels. Ces photographes spirites proposent même aux familles de faire apparaître un défunt sur leurs portraits, lors de très longues séances de pose où le photographe pratique une sorte d'invocation. Les spirites utilisent plusieurs trucages, comme la surimpression de plusieurs images sur une plaque photographique.

Représentations de l'angoisse

Peindre ou décrire l'angoisse suppose d'observer attentivement ses symptômes physiques tels les mains portées à la tête, les yeux exorbités...

Collection particulière

◀ Gustave Courbet (1819-1877), *Le Désespéré*, 1843-1845, huile sur toile, collection privée. Le personnage, qui regarde dans la direction du spectateur, paraît faire face à une apparition terrifiante, digne du Horla. Dans la suite de sa carrière, Gustave Courbet deviendra le porte-parole du réalisme en peinture, notamment pour ses tableaux *Un enterrement à Ornans* (1849-1850), figurant des funérailles d'une manière extrêmement concrète, ou *L'Origine du monde* (1866), représentant un sexe féminin.

▶ Edvard Munch (1863-1944), *Le Cri*, 1893, tempera sur bois, musée Munch, Oslo. Munch, artiste norvégien, est un représentant de l'expressionnisme, mouvement artistique qui met l'accent sur la représentation d'émotions intenses. Ici, le peintre révèle le caractère angoissant du monde qui nous environne. Les lignes courbes accentuent la torsion du personnage en proie au désespoir, qui pousse (ou qui entend ?) un cri terrorisant. Il existe plusieurs versions de ce tableau, l'angoisse étant l'un des thèmes les plus explorés par Munch.

Une adaptation du « Horla » en BD

En 2012, Éric Puech et Frédéric Bertocchini proposent une création originale : l'une des premières adaptations du « Horla » de Maupassant en bande dessinée. Dans cette œuvre, les artistes restent fidèles aussi bien à la lettre du texte qu'à son atmosphère oppressante.

▲ Frédéric Bertocchini et Éric Puech, *Le Horla de Maupassant*, éditions du Quinquet, 2012.
Si adapter un chef-d'œuvre de la littérature est toujours une gageure, la scène du miroir représente sans doute l'une des plus difficiles à interpréter en bande dessinée. Tout l'art du dessinateur consiste à ne pas trancher entre la vision avérée et l'hallucination outrée d'un fou.

165 ciles, j'allais demander à me coucher, quand le vieux garde tout
à coup fit un bond de sa chaise, saisit de nouveau son fusil, en
bégayant d'une voix égarée : "Le voilà, le voilà ! Je l'entends !" Les
deux femmes retombèrent à genoux dans leurs coins en se
cachant le visage ; et les fils reprirent leurs haches. J'allais tenter
170 encore de les apaiser, quand le chien endormi s'éveilla brusquement et, levant sa tête, tendant le cou, regardant vers le feu de
son œil presque éteint, il poussa un de ces lugubres hurlements
qui font tressaillir les voyageurs, le soir, dans la campagne. Tous
les yeux se portèrent sur lui, il restait maintenant immobile,
175 dressé sur ses pattes comme hanté d'une vision, et il se remit à
hurler vers quelque chose d'invisible, d'inconnu, d'affreux sans
doute, car tout son poil se hérissait. Le garde, livide[1], cria : "Il
le sent ! il le sent ! il était là quand je l'ai tué." Et les femmes éga-
rées se mirent, toutes les deux, à hurler avec le chien.

180 «Malgré moi, un grand frisson me courut entre les épaules.
Cette vision de l'animal dans ce lieu, à cette heure, au milieu de
ces gens éperdus, était effrayante à voir.

«Alors, pendant une heure, le chien hurla sans bouger ; il
hurla comme dans l'angoisse d'un rêve ; et la peur, l'épouvan-
185 table peur entrait en moi ; la peur de quoi ? Le sais-je ? C'était la
peur, voilà tout.

«Nous restions immobiles, livides, dans l'attente d'un événement affreux, l'oreille tendue, le cœur battant, bouleversés au
moindre bruit. Et le chien se mit à tourner autour de la pièce, en
190 sentant les murs et gémissant toujours. Cette bête nous rendait
fous ! Alors, le paysan qui m'avait amené, se jeta sur elle, dans
une sorte de paroxysme[2] de terreur furieuse, et, ouvrant une
porte donnant sur une petite cour, jeta l'animal dehors.

«Il se tut aussitôt ; et nous restâmes plongés dans un silence
195 plus terrifiant encore. Et soudain, tous ensemble, nous eûmes

---

1. *Livide* : extrêmement pâle.
2. *Paroxysme* : sommet, point culminant.

une sorte de sursaut : un être glissait contre le mur du dehors vers la forêt ; puis il passa contre la porte, qu'il sembla tâter, d'une main hésitante ; puis on n'entendit plus rien pendant deux minutes qui firent de nous des insensés ; puis il revint, frôlant

200 toujours la muraille ; et il gratta légèrement, comme ferait un enfant avec son ongle ; puis soudain une tête apparut contre la vitre du judas, une tête blanche avec des yeux lumineux comme ceux des fauves. Et un son sortit de sa bouche, un son indistinct, un murmure plaintif.

205 « Alors un bruit formidable[1] éclata dans la cuisine. Le vieux garde avait tiré. Et aussitôt les fils se précipitèrent, bouchèrent le judas en dressant la grande table qu'ils assujettirent[2] avec le buffet.

« Et je vous jure qu'au fracas du coup de fusil que je n'attendais point, j'eus une telle angoisse du cœur, de l'âme et du corps,

210 que je me sentis défaillir[3], prêt à mourir de peur.

« Nous restâmes là jusqu'à l'aurore, incapables de bouger, de dire un mot, crispés dans un affolement indicible[4].

« On n'osa débarricader la sortie qu'en apercevant, par la fente d'un auvent[5], un mince rayon de jour.

215 « Au pied du mur, contre la porte, le vieux chien gisait, la gueule brisée d'une balle.

Il était sorti de la cour en creusant un trou sous une palissade. »

L'homme au visage brun se tut ; puis il ajouta :

220 « Cette nuit-là pourtant, je ne courus aucun danger ; mais j'aimerais mieux recommencer toutes les heures où j'ai affronté les plus terribles périls, que la seule minute du coup de fusil sur la tête barbue du judas. »

---

1. *Formidable* : terrifiant.
2. *Assujettirent* : bloquèrent.
3. *Défaillir* : perdre connaissance.
4. *Indicible* : qu'on ne peut dire, exprimer.
5. *Auvent* : volet.

La Main d'écorché

Il y a huit mois environ, un de mes amis, Louis R…, avait réuni, un soir, quelques camarades de collège ; nous buvions du punch[1] et nous fumions en causant littérature, peinture, et en racontant, de temps à autre, quelques joyeusetés, ainsi que cela
5 se pratique dans les réunions de jeunes gens. Tout à coup la porte s'ouvre toute grande et un de mes bons amis d'enfance entre comme un ouragan. «Devinez d'où je viens, s'écrie-t-il aussitôt. – Je parie pour Mabille[2], répond l'un. – Non, tu es trop gai, tu viens d'emprunter de l'argent, d'enterrer ton oncle, ou de mettre
10 ta montre chez ma tante[3], reprend un autre. – Tu viens de te griser, riposte un troisième, et comme tu as senti le punch chez Louis, tu es monté pour recommencer. – Vous n'y êtes point, je viens de P… en Normandie, où j'ai été passer huit jours et d'où je rapporte un grand criminel de mes amis que je vous demande
15 la permission de vous présenter.» À ces mots, il tira de sa poche une main d'écorché ; cette main était affreuse, noire, sèche, très longue et comme crispée, les muscles, d'une force extraordinaire[4], étaient retenus à l'intérieur et à l'extérieur par une lanière

---

1. *Punch* : boisson alcoolisée, contenant, entre autres, rhum, gin et jus de fruits.
2. Le bal ***Mabille*** a été fondé dans la première moitié du XIXᵉ siècle par un danseur du même nom. Jusqu'en 1875, date de sa fermeture, il était situé sur l'actuelle avenue Montaigne à Paris.
3. *Ma tante* : expression familière pour désigner un établissement de prêts sur gages, ou «mont-de-piété». En échange d'objets de valeur, le mont-de-piété prêtait une somme équivalente à leur prix de vente. Sans remboursement dans un certain délai, les objets mis en gage étaient revendus.
4. *Extraordinaire* : qui sort de l'ordinaire, au sens propre.

de peau parcheminée[1], les ongles jaunes, étroits, étaient restés au
20 bout des doigts ; tout cela sentait le scélérat d'une lieue. « Figurez-
vous, dit mon ami, qu'on vendait l'autre jour les défroques[2] d'un
vieux sorcier bien connu dans toute la contrée ; il allait au
sabbat[3] tous les samedis sur un manche à balai, pratiquait la
magie blanche et noire, donnait aux vaches du lait bleu et leur
25 faisait porter la queue comme celle du compagnon de saint
Antoine[4]. Toujours est-il que ce vieux gredin[5] avait une grande
affection pour cette main, qui, disait-il, était celle d'un célèbre
criminel supplicié en 1736, pour avoir jeté, la tête la première,
dans un puits sa femme légitime, ce quoi faisant je trouve qu'il
30 n'avait pas tort, puis pendu au clocher de l'église le curé qui
l'avait marié. Après ce double exploit, il était allé courir le
monde et dans sa carrière aussi courte que bien remplie, il avait
détroussé douze voyageurs, enfumé une vingtaine de moines
dans leur couvent et fait un sérail[6] d'un monastère de religieuses.
35 – Mais que vas-tu faire de cette horreur ? nous écriâmes-nous.
– Eh parbleu, j'en ferai mon bouton de sonnette pour effrayer
mes créanciers[7]. – Mon ami, dit Henri Smith, un grand Anglais
très flegmatique[8], je crois que cette main est tout simplement de
la viande indienne conservée par le procédé nouveau, je te
40 conseille d'en faire du bouillon. – Ne raillez pas, messieurs,
reprit avec le plus grand sang-froid un étudiant en médecine aux

---

1. *Parcheminée* : ayant l'aspect d'un vieux parchemin, c'est-à-dire jaune et
durcie.
2. *Défroques* : objets et vêtements de peu de valeur laissés par un défunt.
3. *Sabbat* : cérémonie nocturne réunissant sorcières et démons.
4. *Compagnon de saint Antoine* : cochon. Saint Antoine est régulièrement
représenté avec un cochon à ses pieds, en référence aux moines antonins qui
laissaient les cochons de leur monastère errer librement dans les villes.
5. *Gredin* : personne méprisable.
6. *Sérail* : harem, lieu où sont enfermées les nombreuses femmes d'un
sultan.
7. *Mes créanciers* : les personnes à qui je dois de l'argent.
8. *Flegmatique* : calme, imperturbable. Les Anglais étaient considérés
comme particulièrement impassibles.

trois quarts gris, et toi, Pierre, si j'ai un conseil à te donner, fais enterrer chrétiennement ce débris humain, de crainte que son propriétaire ne vienne te le redemander ; et puis, elle a peut-être pris de mauvaises habitudes cette main, car tu sais le proverbe : "Qui a tué tuera." – Et qui a bu boira», reprit l'amphitryon[1]. Là-dessus il versa à l'étudiant un grand verre de punch, l'autre l'avala d'un seul trait et tomba ivre mort sous la table. Cette sortie fut accueillie par des rires formidables[2], et Pierre élevant son verre et saluant la main : «Je bois, dit-il, à la prochaine visite de ton maître», puis on parla d'autre chose et chacun rentra chez soi.

Le lendemain, comme je passais devant sa porte, j'entrai chez lui, il était environ deux heures, je le trouvai lisant et fumant. «Eh bien, comment vas-tu ? lui dis-je. – Très bien, me répondit-il. – Et ta main ? – Ma main, tu as dû la voir à ma sonnette où je l'ai mise hier soir en rentrant, mais à ce propos figure-toi qu'un imbécile quelconque, sans doute pour me faire une mauvaise farce, est venu carillonner[3] à ma porte vers minuit ; j'ai demandé qui était là, mais comme personne ne me répondait, je me suis recouché et rendormi.»

En ce moment, on sonna, c'était le propriétaire, personnage grossier et fort impertinent. Il entra sans saluer. «Monsieur, dit-il à mon ami, je vous prie d'enlever immédiatement la charogne[4] que vous avez pendue à votre cordon de sonnette, sans quoi je me verrai forcé de vous donner congé. – Monsieur, reprit Pierre avec beaucoup de gravité, vous insultez une main qui ne le mérite pas, sachez qu'elle a appartenu à un homme fort bien élevé.» Le propriétaire tourna les talons et sortit comme il était entré. Pierre le suivit, décrocha sa main et l'attacha à la sonnette pendue dans

---

1. *Amphitryon* : hôte, celui qui offre à boire et à manger à ses invités.
2. *Formidables* : au sens propre, effrayants. La transition vers la suite de la nouvelle est assurée.
3. *Carillonner* : sonner.
4. *La charogne* : le corps pourrissant.

son alcôve[1]. «Cela vaut mieux, dit-il, cette main, comme le "Frère il faut mourir" des Trappistes[2] me donnera des pensées sérieuses tous les soirs en m'endormant.» Au bout d'une heure je le quittai et je rentrai à mon domicile.

75   Je dormis mal la nuit suivante, j'étais agité, nerveux ; plusieurs fois je me réveillai en sursaut, un moment même je me figurai qu'un homme s'était introduit chez moi et je me levai pour regarder dans mes armoires et sous mon lit ; enfin, vers six heures du matin, comme je commençais à m'assoupir, un coup 80 violent, frappé à ma porte, me fit sauter du lit ; c'était le domestique de mon ami, à peine vêtu, pâle et tremblant. «Ah monsieur ! s'écria-t-il en sanglotant, mon pauvre maître qu'on a assassiné.» Je m'habillai à la hâte et je courus chez Pierre. La maison était pleine de monde, on discutait, on s'agitait, c'était 85 un mouvement incessant, chacun pérorait[3], racontait et commentait l'événement de toutes les façons. Je parvins à grand-peine jusqu'à la chambre, la porte était gardée, je me nommai, on me laissa entrer. Quatre agents de la police étaient debout au milieu, un carnet à la main, ils examinaient, se parlaient bas de 90 temps en temps et écrivaient ; deux docteurs causaient près du lit sur lequel Pierre était étendu sans connaissance. Il n'était pas mort, mais il avait un aspect effrayant. Ses yeux démesurément ouverts, ses prunelles dilatées semblaient regarder fixement avec une indicible[4] épouvante une chose horrible et inconnue, ses 95 doigts étaient crispés, son corps, à partir du menton, était recouvert d'un drap que je soulevai. Il portait au cou les marques de

---

1. *Alcôve* : renfoncement dans une chambre, où est placé le lit.
2. *Trappistes* : moines appartenant à l'ordre religieux de la Trappe, très strict. La réflexion sur la mort leur permettait de se détacher des réalités matérielles et terrestres. Au XIXe siècle, une rumeur prétendait que, lorsque deux trappistes se rencontraient, ils se disaient en guise de salut : «Frère, il faut mourir.»
3. *Pérorait* : parlait beaucoup et bruyamment.
4. *Indicible* : qu'on ne peut dire, exprimer.

cinq doigts qui s'étaient profondément enfoncés dans la chair, quelques gouttes de sang maculaient[1] sa chemise. En ce moment une chose me frappa, je regardai par hasard la sonnette de son
100 alcôve, la main d'écorché n'y était plus. Les médecins l'avaient sans doute enlevée pour ne point impressionner les personnes qui entreraient dans la chambre du blessé, car cette main était vraiment affreuse. Je ne m'informai point de ce qu'elle était devenue.

105 Je coupe maintenant, dans un journal du lendemain, le récit du crime avec tous les détails que la police a pu se procurer. Voici ce qu'on y lisait :

«Un attentat horrible a été commis hier sur la personne d'un jeune homme, M. Pierre B…, étudiant en droit, qui appartient à
110 une des meilleures familles de Normandie. Ce jeune homme était rentré chez lui vers dix heures du soir, il renvoya son domestique, le sieur Bouvin, en lui disant qu'il était fatigué et qu'il allait se mettre au lit. Vers minuit, cet homme fut réveillé tout à coup par la sonnette de son maître qu'on agitait avec fureur. Il eut peur,
115 alluma une lumière et attendit ; la sonnette se tut environ une minute, puis reprit avec une telle force que le domestique, éperdu[2] de terreur, se précipita hors de sa chambre et alla réveiller le concierge, ce dernier courut avertir la police et, au bout d'un quart d'heure environ, deux agents enfonçaient la
120 porte. Un spectacle horrible s'offrit à leurs yeux, les meubles étaient renversés, tout annonçait qu'une lutte terrible avait eu lieu entre la victime et le malfaiteur. Au milieu de la chambre, sur le dos, les membres raides, la face livide[3] et les yeux effroyablement dilatés, le jeune Pierre B… gisait sans mouvement ; il por-
125 tait au cou les empreintes profondes de cinq doigts. Le rapport du docteur Bourdeau, appelé immédiatement, dit que l'agresseur

---

1. *Maculaient* : tachaient.
2. *Éperdu* : désemparé.
3. *Livide* : extrêmement pâle.

devait être doué d'une force prodigieuse et avoir une main extra-ordinairement maigre et nerveuse, car les doigts qui ont laissé dans le cou comme cinq trous de balle s'étaient presque rejoints
130 à travers les chairs. Rien ne peut faire soupçonner le mobile du crime, ni quel peut en être l'auteur. La justice informe[1].»

On lisait le lendemain dans le même journal :

«M. Pierre B…, la victime de l'effroyable attentat que nous racontions hier, a repris connaissance après deux heures de soins
135 assidus donnés par M. le docteur Bourdeau. Sa vie n'est pas en danger, mais on craint fortement pour sa raison ; on n'a aucune trace du coupable.»

En effet, mon pauvre ami était fou ; pendant sept mois, j'allai le voir tous les jours à l'hospice[2] où nous l'avions placé, mais il
140 ne recouvra[3] pas une lueur de raison. Dans son délire, il lui échappait des paroles étranges et, comme tous les fous, il avait une idée fixe, il se croyait toujours poursuivi par un spectre. Un jour, on vint me chercher en toute hâte en me disant qu'il allait plus mal, je le trouvai à l'agonie. Pendant deux heures, il resta
145 fort calme, puis tout à coup, se dressant sur son lit malgré nos efforts, il s'écria en agitant les bras et comme en proie à une épouvantable terreur : «Prends-la ! Prends-la ! Il m'étrangle, au secours, au secours !» Il fit deux fois le tour de la chambre en hurlant, puis il tomba mort, la face contre terre.

150 Comme il était orphelin, je fus chargé de conduire son corps au petit village de P… en Normandie, où ses parents étaient enter-rés. C'est de ce même village qu'il venait, le soir où il nous avait trouvés buvant du punch chez Louis R… et où il nous avait pré-senté sa main d'écorché. Son corps fut enfermé dans un cercueil
155 de plomb, et quatre jours après, je me promenais tristement avec le vieux curé qui lui avait donné ses premières leçons, dans le petit

---

1. *Informe* : enquête.
2. *Hospice* : établissement de soins.
3. *Recouvra* : retrouva.

cimetière où l'on creusait sa tombe. Il faisait un temps magnifique, le ciel tout bleu ruisselait de lumière, les oiseaux chantaient dans les ronces du talus[1], où bien des fois, enfants tous deux, nous
160 étions venus manger des mûres. Il me semblait encore le voir se faufiler le long de la haie et se glisser par le petit trou que je connaissais bien, là-bas, tout au bout du terrain où l'on enterre les pauvres, puis nous revenions à la maison, les joues et les lèvres noires du jus des fruits que nous avions mangés ; et je regardai les
165 ronces, elles étaient couvertes de mûres ; machinalement j'en pris une, et je la portai à ma bouche ; le curé avait ouvert son bréviaire[2] et marmottait[3] tout bas ses *oremus*[4], et j'entendais au bout de l'allée la bêche des fossoyeurs qui creusaient la tombe. Tout à coup, ils nous appelèrent, le curé ferma son livre et nous allâmes
170 voir ce qu'ils nous voulaient. Ils avaient trouvé un cercueil. D'un coup de pioche, ils firent sauter le couvercle et nous aperçûmes un squelette démesurément long, couché sur le dos, qui, de son œil creux, semblait encore nous regarder et nous défier ; j'éprouvai un malaise, je ne sais pourquoi j'eus presque peur. «Tiens ! s'écria un
175 des hommes, regardez donc, le gredin a un poignet coupé, voilà sa main.» Et il ramassa à côté du corps une grande main desséchée qu'il nous présenta. «Dis donc, fit l'autre en riant, on dirait qu'il te regarde et qu'il va te sauter à la gorge pour que tu lui rendes sa main. – Allons mes amis, dit le curé, laissez les morts en paix et
180 refermez ce cercueil, nous creuserons autre part la tombe de ce pauvre monsieur Pierre.»

Le lendemain tout était fini et je reprenais la route de Paris après avoir laissé cinquante francs au vieux curé pour dire des messes pour le repos de l'âme de celui dont nous avions ainsi
185 troublé la sépulture[5].

---

1. *Talus* : petit monticule créant une pente.
2. *Bréviaire* : livre de prières.
3. *Marmottait* : marmonnait.
4. *Oremus* : expression signifiant «Prions», en latin ; début de prières.
5. *Sépulture* : tombe.

Qui sait ?

I

Mon Dieu ! Mon Dieu ! Je vais donc écrire enfin ce qui m'est arrivé ! Mais le pourrai-je ? l'oserai-je ? Cela est si bizarre, si inexplicable, si incompréhensible, si fou !

Si je n'étais sûr de ce que j'ai vu, sûr qu'il n'y a eu dans mes raisonnements aucune défaillance[1], aucune erreur dans mes constatations, pas de lacune[2] dans la suite inflexible[3] de mes observations, je me croirais un simple halluciné, le jouet d'une étrange vision. Après tout, qui sait ?

Je suis aujourd'hui dans une maison de santé[4] ; mais j'y suis entré volontairement, par prudence, par peur !

Un seul être connaît mon histoire. Le médecin d'ici.

Je vais l'écrire. Je ne sais trop pourquoi. Pour m'en débarrasser, car je la sens en moi comme un intolérable cauchemar.

La voici :

J'ai toujours été un solitaire, un rêveur, une sorte de philosophe isolé, bienveillant, content de peu, sans aigreur[5] contre les hommes et sans rancune contre le ciel. J'ai vécu seul, sans cesse, par suite d'une sorte de gêne qu'insinue[6] en moi la présence des

---

1. Défaillance : faiblesse.
2. Lacune : manque, trou.
3. Inflexible : inébranlable.
4. Maison de santé : institut psychiatrique.
5. Aigreur : amertume, irritation.
6. Insinue : fait entrer.

autres. Comment expliquer cela ? Je ne le pourrais. Je ne refuse pas
20 de voir le monde, de causer, de dîner avec des amis, mais lorsque
je les sens depuis longtemps près de moi, même les plus familiers,
ils me lassent, me fatiguent, m'énervent, et j'éprouve une envie
grandissante, harcelante, de les voir partir ou de m'en aller, d'être
seul. Cette envie est plus qu'un besoin, c'est une nécessité irrésis-
25 tible. Et si la présence des gens avec qui je me trouve continuait, si
je devais, non pas écouter, mais entendre longtemps encore leurs
conversations, il m'arriverait, sans aucun doute, un accident.

Lequel ? Ah ! qui sait ? Peut-être une simple syncope[1] ? oui !
probablement !

30 J'aime tant être seul que je ne puis même supporter le voisinage d'autres êtres dormant sous mon toit ; je ne puis habiter
Paris parce que j'y agonise indéfiniment. Je meurs moralement,
et suis aussi supplicié dans mon corps et dans mes nerfs par cette
immense foule qui grouille, qui vit autour de moi, même quand
35 elle dort. Ah ! le sommeil des autres m'est plus pénible encore
que leur parole. Et je ne peux jamais me reposer, quand je sais,
quand je sens, derrière un mur, des existences interrompues par
ces régulières éclipses de la raison.

Pourquoi suis-je ainsi ? Qui sait ? La cause en est peut-être
40 fort simple : je me fatigue très vite de tout ce qui ne se passe pas
en moi. Et il y a beaucoup de gens dans mon cas.

Nous sommes deux races sur la terre. Ceux qui ont besoin
des autres, que les autres distraient, occupent, reposent, et que
la solitude harasse, épuise, anéantit, comme l'ascension d'un ter-
45 rible glacier ou la traversée du désert, et ceux que les autres, au
contraire, lassent, ennuient, gênent, courbaturent[2], tandis que
l'isolement les calme, les baigne de repos dans l'indépendance
et la fantaisie de leur pensée.

En somme, il y a là un normal phénomène psychique. Les
50 uns sont doués pour vivre en dehors, les autres pour vivre en

---

1. *Syncope* : évanouissement.
2. *Courbaturent* : font souffrir telle une douleur musculaire après l'effort.

dedans. Moi, j'ai l'attention extérieure courte et vite épuisée, et, dès qu'elle arrive à ses limites, j'en éprouve, dans tout mon corps et dans toute mon intelligence, un intolérable malaise.

Il en est résulté que je m'attache, que je m'étais attaché beaucoup aux objets inanimés qui prennent, pour moi, une importance d'êtres, et que ma maison est devenue, était devenue, un monde où je vivais d'une vie solitaire et active, au milieu de choses, de meubles, de bibelots familiers, sympathiques à mes yeux comme des visages. Je l'en avais emplie peu à peu, je l'en avais parée, et je me sentais dedans, content, satisfait, bienheureux comme entre les bras d'une femme aimable dont la caresse accoutumée est devenue un calme et doux besoin.

J'avais fait construire cette maison dans un beau jardin qui l'isolait des routes, et à la porte d'une ville où je pouvais trouver, à l'occasion, les ressources de société dont je sentais, par moments, le désir. Tous mes domestiques couchaient dans un bâtiment éloigné, au fond du potager, qu'entourait un grand mur.

L'enveloppement obscur des nuits, dans le silence de ma demeure perdue, cachée, noyée sous les feuilles des grands arbres, m'était si reposant et si bon, que j'hésitais chaque soir, pendant plusieurs heures, à me mettre au lit pour le savourer plus longtemps.

Ce jour-là, on avait joué *Sigurd*[1] au théâtre de la ville. C'était la première fois que j'entendais ce beau drame musical et féerique, et j'y avais pris un vif plaisir.

Je revenais à pied, d'un pas allègre[2], la tête pleine de phrases sonores, et le regard hanté par de jolies visions. Il faisait noir, noir, mais noir au point que je distinguais à peine la grande route, et que je faillis, plusieurs fois, culbuter dans le fossé. De

---

1. *Sigurd* : opéra en quatre actes, créé en 1884, sur une musique d'Ernest Reyer. Il s'inspire notamment du mythe des Nibelungen, dans lequel Sigurd (ou Siegfried) est un chevalier doté d'un anneau qui le rend invisible.
2. *Allègre* : plein de vitalité.

l'octroi[1] chez moi, il y a un kilomètre environ, peut-être un peu
plus, soit vingt minutes de marche lente. Il était une heure du
matin, une heure ou une heure et demie ; le ciel s'éclaircit un peu
devant moi et le croissant parut, le triste croissant du dernier
quartier de la lune. Le croissant du premier quartier, celui qui se
lève à quatre ou cinq heures du soir, est clair, gai, frotté d'argent,
mais celui qui se lève après minuit est rougeâtre, morne, inquiétant ; c'est le vrai croissant du Sabbat[2]. Tous les noctambules[3]
ont dû faire cette remarque. Le premier, fût-il mince comme un
fil, jette une petite lumière joyeuse qui réjouit le cœur, et dessine
sur la terre des ombres nettes ; le dernier répand à peine une
lueur mourante, si terne qu'elle ne fait presque pas d'ombres.

J'aperçus au loin la masse sombre de mon jardin, et je ne sais
d'où me vint une sorte de malaise à l'idée d'entrer là-dedans. Je
ralentis le pas. Il faisait très doux. Le gros tas d'arbres avait l'air
d'un tombeau où ma maison était ensevelie.

J'ouvris ma barrière et je pénétrai dans la longue allée de
sycomores[4], qui s'en allait vers le logis, arquée en voûte comme
un haut tunnel, traversant des massifs opaques et contournant
des gazons où les corbeilles de fleurs[5] plaquaient, sous les
ténèbres pâlies, des taches ovales aux nuances indistinctes.

En approchant de la maison, un trouble bizarre me saisit. Je
m'arrêtai. On n'entendait rien. Il n'y avait pas dans les feuilles
un souffle d'air.

« Qu'est-ce que j'ai donc ? » pensai-je. Depuis dix ans je rentrais ainsi sans que jamais la moindre inquiétude m'eût effleuré.

Je n'avais pas peur. Je n'ai jamais eu peur, la nuit. La vue d'un
homme, d'un maraudeur[6], d'un voleur m'aurait jeté une rage

---

1. Octroi : local situé à la limite d'une ville et où l'on paie une taxe pour
entrer dans la ville.
2. Sabbat : cérémonie nocturne réunissant sorcières et démons.
3. Les noctambules : ceux qui se promènent la nuit.
4. Sycomores : érables.
5. Corbeilles de fleurs : plates-bandes de fleurs circulaires.
6. Maraudeur : rôdeur.

dans le corps, et j'aurais sauté dessus sans hésiter. J'étais armé, d'ailleurs. J'avais mon revolver. Mais je n'y touchai point, car je 110 voulais résister à cette influence de crainte qui germait en moi.

Qu'était-ce? Un pressentiment? Le pressentiment mystérieux qui s'empare des sens des hommes quand ils vont voir de l'inexplicable? Peut-être? Qui sait?

À mesure que j'avançais, j'avais dans la peau des tressaille 115 ments, et quand je fus devant le mur, aux auvents[1] clos, de ma vaste demeure, je sentis qu'il me faudrait attendre quelques minutes avant d'ouvrir la porte et d'entrer dedans. Alors, je m'assis sur un banc, sous les fenêtres de mon salon. Je restai là, un peu vibrant, la tête appuyée contre la muraille, les yeux 120 ouverts sur l'ombre des feuillages. Pendant ces premiers instants, je ne remarquai rien d'insolite autour de moi. J'avais dans les oreilles quelques ronflements; mais cela m'arrive souvent. Il me semble parfois que j'entends passer des trains, que j'entends sonner des cloches, que j'entends marcher une foule.

125 Puis bientôt ces ronflements devinrent plus distincts, plus précis, plus reconnaissables. Je m'étais trompé. Ce n'était pas le bourdonnement ordinaire de mes artères qui mettait dans mes oreilles ces rumeurs, mais un bruit très particulier, très confus cependant, qui venait, à n'en point douter, de l'intérieur de ma maison.

130 Je le distinguais à travers le mur, ce bruit continu, plutôt une agitation qu'un bruit, un remuement vague d'un tas de choses, comme si on eût secoué, déplacé, traîné doucement tous mes meubles.

Oh! je doutai, pendant un temps assez long encore, de la sûreté de mon oreille. Mais l'ayant collée contre un auvent pour 135 mieux percevoir ce trouble étrange de mon logis, je demeurai convaincu, certain, qu'il se passait chez moi quelque chose d'anormal et d'incompréhensible. Je n'avais pas peur, mais j'étais… comment exprimer cela… effaré[2] d'étonnement. Je

---

1. *Auvents* : volets.
2. *Effaré* : affolé.

n'armai pas mon revolver – devinant fort bien que je n'en avais
140 nul besoin. J'attendis.

J'attendis longtemps, ne pouvant me décider à rien, l'esprit
lucide, mais follement anxieux. J'attendis, debout, écoutant toujours le bruit qui grandissait, qui prenait, par moments, une
intensité violente, qui semblait devenir un grondement d'impa-
145 tience, de colère, d'émeute mystérieuse.

Puis soudain, honteux de ma lâcheté, je saisis mon trousseau
de clefs, je choisis celle qu'il me fallait, je l'enfonçai dans la ser-
rure, je la fis tourner deux fois, et poussant la porte de toute ma
force, j'envoyai le battant heurter la cloison.

150 Le coup sonna comme une détonation de fusil, et voilà qu'à
ce bruit d'explosion répondit, du haut en bas de ma demeure, un
formidable tumulte[1]. Ce fut si subit, si terrible, si assourdissant
que je reculai de quelques pas, et que, bien que le sentant toujours inutile, je tirai de sa gaine mon revolver.

155 J'attendis encore, oh! peu de temps. Je distinguais à présent,
un extraordinaire[2] piétinement sur les marches de mon escalier,
sur les parquets, sur les tapis, un piétinement, non pas de chaus-
sures, de souliers humains, mais de béquilles, de béquilles de bois
et de béquilles de fer qui vibraient comme des cymbales. Et voilà
160 que j'aperçus tout à coup, sur le seuil de ma porte, un fauteuil,
mon grand fauteuil de lecture, qui sortait en se dandinant. Il s'en
alla par le jardin. D'autres le suivaient, ceux de mon salon, puis les
canapés bas et se traînant comme des crocodiles sur leurs courtes
pattes, puis toutes mes chaises, avec des bonds de chèvres, et les
165 petits tabourets qui trottaient comme des lapins.

Oh! quelle émotion! Je me glissai dans un massif où je
demeurai accroupi, contemplant toujours ce défilé de mes
meubles, car ils s'en allaient tous, l'un derrière l'autre, vite ou
lentement, selon leur taille et leur poids. Mon piano, mon grand

---

1. *Formidable tumulte* : mouvement bruyant et terrifiant.
2. *Extraordinaire* : qui sort de l'ordinaire, au sens propre.

piano à queue, passa avec un galop de cheval emporté et un murmure de musique dans le flanc, les moindres objets glissaient sur
le sable comme des fourmis, les brosses, les cristaux, les coupes,
où le clair de lune accrochait des phosphorescences[1] de vers lui-
sants. Les étoffes rampaient, s'étalaient en flaques à la façon des
pieuvres de la mer. Je vis paraître mon bureau, un rare bibelot du
dernier siècle, et qui contenait toutes les lettres que j'ai reçues,
toute l'histoire de mon cœur, une vieille histoire dont j'ai tant
souffert ! Et dedans étaient aussi des photographies.

   Soudain, je n'eus plus peur, je m'élançai sur lui et je le saisis
comme on saisit un voleur, comme on saisit une femme qui fuit ;
mais il allait d'une course irrésistible, et malgré mes efforts, et
malgré ma colère, je ne pus même ralentir sa marche. Comme je
résistais en désespéré à cette force épouvantable, je m'abattis par
terre en luttant contre lui. Alors, il me roula, me traîna sur le
sable, et déjà les meubles, qui le suivaient, commençaient à marcher sur moi, piétinant mes jambes et les meurtrissant ; puis,
quand je l'eus lâché, les autres passèrent sur mon corps ainsi
qu'une charge[2] de cavalerie sur un soldat démonté[3].

   Fou d'épouvante enfin, je pus me traîner hors de la grande
allée et me cacher de nouveau dans les arbres, pour regarder disparaître les plus infimes objets, les plus petits, les plus modestes,
les plus ignorés de moi, qui m'avaient appartenu.

   Puis j'entendis, au loin, dans mon logis sonore à présent
comme les maisons vides, un formidable bruit de portes refer-
mées. Elles claquèrent du haut en bas de la demeure, jusqu'à ce
que celle du vestibule que j'avais ouverte moi-même, insensé,
pour ce départ, se fût close, enfin, la dernière.

   Je m'enfuis aussi, courant vers la ville, et je ne repris mon
sang-froid que dans les rues, en rencontrant des gens attardés.

---

1. *Phosphorescences* : lueurs.
2. *Une charge* : un assaut, une attaque.
3. *Démonté* : tombé de cheval.

200 J'allai sonner à la porte d'un hôtel où j'étais connu. J'avais battu, avec mes mains, mes vêtements, pour en détacher la poussière, et je racontai que j'avais perdu mon trousseau de clefs, qui contenait aussi celle du potager, où couchaient mes domestiques en une maison isolée, derrière le mur de clôture qui préservait mes
205 fruits et mes légumes de la visite des maraudeurs.

Je m'enfonçai jusqu'aux yeux dans le lit qu'on me donna. Mais je ne pus dormir, et j'attendis le jour en écoutant bondir mon cœur. J'avais ordonné qu'on prévînt mes gens dès l'aurore, et mon valet de chambre heurta ma porte à sept heures du matin.
210 Son visage semblait bouleversé.

«Il est arrivé cette nuit un grand malheur, monsieur, dit-il.

– Quoi donc?

– On a volé tout le mobilier de monsieur, tout, tout, jusqu'aux plus petits objets.» Cette nouvelle me fit plaisir. Pour-
215 quoi? qui sait?

J'étais fort maître de moi, sûr de dissimuler, de ne rien dire à personne de ce que j'avais vu, de le cacher, de l'enterrer dans ma conscience comme un effroyable secret. Je répondis :

«Alors, ce sont les mêmes personnes qui m'ont volé mes
220 clefs. Il faut prévenir tout de suite la police. Je me lève et je vous y rejoindrai dans quelques instants.» L'enquête dura cinq mois. On ne découvrit rien, on ne trouva ni le plus petit de mes bibelots, ni la plus légère trace des voleurs. Parbleu! Si j'avais dit ce que je savais... Si je l'avais dit... on m'aurait enfermé, moi, pas
225 les voleurs, mais l'homme qui avait pu voir une pareille chose.

Oh! je sus me taire. Mais je ne remeublai pas ma maison. C'était bien inutile. Cela aurait recommencé toujours. Je n'y voulais plus rentrer. Je n'y rentrai pas.

Je ne la revis point.
230 Je vins à Paris, à l'hôtel, et je consultai des médecins sur mon état nerveux qui m'inquiétait beaucoup depuis cette nuit déplorable.

Ils m'engagèrent à[1] voyager. Je suivis leur conseil.

---

1. M'engagèrent à : me conseillèrent de.

II

Je commençai par une excursion en Italie. Le soleil me fit du bien. Pendant six mois, j'errai de Gênes à Venise, de Venise à Florence, de Florence à Rome, de Rome à Naples[1]. Puis je parcourus la Sicile[2], terre admirable par sa nature et ses monu-
5 ments, reliques laissées par les Grecs et les Normands. Je passai en Afrique, je traversai pacifiquement ce grand désert jaune et calme, où errent des chameaux, des gazelles et des Arabes vagabonds, où, dans l'air léger et transparent, ne flotte aucune hantise[3], pas plus la nuit que le jour. Je rentrai en France par
10 Marseille, et malgré la gaîté provençale, la lumière diminuée du ciel m'attrista. Je ressentis, en revenant sur le continent, l'étrange impression d'un malade qui se croit guéri et qu'une douleur sourde prévient que le foyer du mal n'est pas éteint.

Puis je revins à Paris. Au bout d'un mois, je m'y ennuyai.
15 C'était à l'automne, et je voulus faire, avant l'hiver, une excursion à travers la Normandie, que je ne connaissais pas.

Je commençai par Rouen[4], bien entendu, et pendant huit jours j'errai, distrait, ravi, enthousiasmé dans cette ville du Moyen Âge, dans ce surprenant musée d'extraordinaires monu-
20 ments gothiques[5].

Or, un soir, vers quatre heures, comme je m'engageais dans une rue invraisemblable où coule une rivière noire comme de l'encre nommée «Eau de Robec[6]», mon attention, toute fixée sur

---

1. *Gênes, Venise, Florence, Naples* : villes italiennes.
2. *Sicile* : île du sud de l'Italie, colonisée par les Grecs pendant l'Antiquité, conquise par les Romains, puis par les Normands au XIe siècle,
3. *Hantise* : crainte obsédante.
4. *Rouen* : ville de Normandie, traversée par la Seine. Elle contient de nombreux monuments datant du Moyen Âge.
5. *Gothiques* : qui relèvent de l'architecture gothique, apparue au XIIe siècle et caractérisée par la recherche de la hauteur et de la finesse. Les cathédrales de Rouen et de Chartres sont des cathédrales gothiques.
6. *Robec* : affluent de la Seine, qui arrose Rouen.

la physionomie bizarre et antique des maisons, fut détournée
25 tout à coup par la vue d'une série de boutiques de brocanteurs
qui se suivaient de porte en porte.

Ah! ils avaient bien choisi leur endroit, ces sordides[1] trafi-
quants de vieilleries, dans cette fantastique[2] ruelle, au-dessus de
ce cours d'eau sinistre, sous ces toits pointus de tuiles et
30 d'ardoises où grinçaient encore les girouettes du passé!

Au fond des noirs magasins, on voyait s'entasser les bahuts[3]
sculptés, les faïences de Rouen, de Nevers, de Moustiers[4], des
statues peintes, d'autres en chêne, des Christ, des vierges, des
saints, des ornements d'église, des chasubles, des chapes, même
35 des vases sacrés et un vieux tabernacle[5] en bois doré d'où Dieu
avait déménagé. Oh! les singulières cavernes en ces hautes maisons, en ces grandes maisons, pleines, des caves aux greniers,
d'objets de toute nature, dont l'existence semblait finie, qui sur-
vivaient à leurs naturels possesseurs, à leur siècle, à leur temps,
40 à leurs modes, pour être achetés, comme curiosités, par les nouvelles générations.

Ma tendresse pour les bibelots se réveillait dans cette cité
d'antiquaires. J'allais de boutique en boutique, traversant, en
deux enjambées, les ponts de quatre planches pourries jetées sur
45 le courant nauséabond de l'Eau de Robec. Miséricorde[6]! Quelle
secousse! Une de mes plus belles armoires m'apparut au bord
d'une voûte encombrée d'objets et qui semblait l'entrée des catacombes[7] d'un cimetière de meubles anciens. Je m'approchai
tremblant de tous mes membres, tremblant tellement que je

---

1. *Sordides* : ignobles, sales.
2. *Fantastique* : qui paraît imaginaire, surnaturelle.
3. *Bahuts* : grands coffres de bois.
4. *Nevers* : ville de Bourgogne. *Moustiers* : ville de Provence. Comme
Rouen, ces localités sont célèbres pour leurs faïences.
5. *Chasubles, chapes* : vêtements portés lors de cérémonies ecclésiastiques.
Tabernacle : meuble d'église où le prêtre conserve les hosties consacrées.
6. *Miséricorde!* : exclamation qui marque la surprise et l'inquiétude.
7. *Catacombes* : cimetières souterrains.

n'osais pas la toucher. J'avançais la main, j'hésitais. C'était bien
elle, pourtant : une armoire Louis XIII unique, reconnaissable
par quiconque avait pu la voir une seule fois. Jetant soudain les
yeux un peu plus loin, vers les profondeurs plus sombres de cette
galerie, j'aperçus trois de mes fauteuils couverts de tapisserie au
petit point[1], puis, plus loin encore, mes deux tables Henri II[2], si
rares qu'on venait les voir de Paris.

Songez! songez à l'état de mon âme!

Et j'avançai, perclus[3], agonisant d'émotion, mais j'avançai,
car je suis brave, j'avançai comme un chevalier des époques téné-
breuses pénétrait en un séjour[4] de sortilèges. Je retrouvais, de pas
en pas, tout ce qui m'avait appartenu, mes lustres, mes livres,
mes tableaux, mes étoffes, mes armes, tout, sauf le bureau plein
de mes lettres, et que je n'aperçus point.

J'allais, descendant à des galeries obscures pour remonter
ensuite aux étages supérieurs. J'étais seul.

J'appelais, on ne répondait point. J'étais seul; il n'y avait personne en cette maison vaste et tortueuse comme un labyrinthe.

La nuit vint, et je dus m'asseoir, dans les ténèbres, sur une de
mes chaises, car je ne voulais point m'en aller. De temps en
temps je criais : «Holà! holà! quelqu'un!» J'étais là, certes,
depuis plus d'une heure quand j'entendis des pas, des pas légers,
lents, je ne sais où.

Je faillis me sauver; mais me raidissant, j'appelai de nouveau,
et j'aperçus une lueur dans la chambre voisine.

«Qui est là?» dit une voix.

Je répondis :

«Un acheteur.» On répliqua :

---

1. *Petit point* : technique de tissage.
2. Les styles Henri II et Louis XIII correspondent à des goûts d'ameublement
en vogue sous ces rois de France, respectivement du XVIe et du XVIIe siècle.
3. *Perclus* : presque paralysé.
4. *Séjour* : lieu.

«Il est bien tard pour entrer ainsi dans les boutiques.» Je repris :

80 «Je vous attends depuis plus d'une heure.

– Vous pouviez revenir demain.

– Demain, j'aurai quitté Rouen.» Je n'osais point avancer, et il ne venait pas. Je voyais toujours la lueur de sa lumière éclairant une tapisserie où deux anges volaient au-dessus des morts d'un
85 champ de bataille. Elle m'appartenait aussi. Je dis :

«Eh bien! Venez-vous?» Il répondit :

«Je vous attends.» Je me levai et j'allai vers lui.

Au milieu d'une grande pièce était un tout petit homme, tout petit et très gros, gros comme un phénomène, un hideux
90 phénomène.

Il avait une barbe rare, aux poils inégaux, clairsemés et jaunâtres, et pas un cheveu sur la tête! Pas un cheveu? Comme il tenait sa bougie élevée à bout de bras pour m'apercevoir, son crâne m'apparut comme une petite lune dans cette vaste
95 chambre encombrée de vieux meubles. La figure était ridée et bouffie, les yeux imperceptibles.

Je marchandai trois chaises qui étaient à moi, et les payai sur-le-champ une grosse somme, en donnant simplement le numéro de mon appartement à l'hôtel.

100 Elles devaient être livrées le lendemain avant neuf heures.

Puis je sortis. Il me reconduisit jusqu'à sa porte avec beaucoup de politesse.

Je me rendis ensuite chez le commissaire central de la police à qui je racontai le vol de mon mobilier et la découverte que je
105 venais de faire.

Il demanda séance tenante des renseignements par télégraphe au parquet[1] qui avait instruit l'affaire[2] de ce vol, en me

---

1. *Au parquet* : aux magistrats du ministère public.
2. *Avait instruit l'affaire* : avait réuni les éléments indispensables pour que l'affaire pût être jugée.

priant d'attendre la réponse. Une heure plus tard, elle lui parvint, tout à fait satisfaisante pour moi.

110 «Je vais faire arrêter cet homme et l'interroger tout de suite, me dit-il, car il pourrait avoir conçu quelque soupçon et faire disparaître ce qui vous appartient. Voulez-vous aller dîner et revenir dans deux heures, je l'aurai ici et je lui ferai subir un nouvel interrogatoire devant vous.

115 – Très volontiers, monsieur. Je vous remercie de tout mon cœur.» J'allai dîner à mon hôtel, et je mangeai mieux que je n'aurais cru. J'étais assez content tout de même. On le tenait.

Deux heures plus tard, je retournai chez le fonctionnaire de la police qui m'attendait.

120 «Eh bien! Monsieur, me dit-il en m'apercevant. On n'a pas trouvé votre homme. Mes agents n'ont pu mettre la main dessus.

– Ah!» Je me sentis défaillir[1].

«Mais… Vous avez bien trouvé sa maison? demandai-je.

– Parfaitement. Elle va même être surveillée et gardée jusqu'à 125 son retour. Quant à lui, disparu.

– Disparu?

– Disparu. Il passe ordinairement ses soirées chez sa voisine, une brocanteuse aussi, une drôle de sorcière, la veuve Bidoin. Elle ne l'a pas vu ce soir et ne peut donner sur lui aucun rensei-130 gnement. Il faut attendre demain.» Je m'en allai. Ah! que les rues de Rouen me semblèrent sinistres, troublantes, hantées.

Je dormis si mal, avec des cauchemars à chaque bout de sommeil.

Comme je ne voulais pas paraître trop inquiet ou pressé, 135 j'attendis dix heures, le lendemain, pour me rendre à la police.

Le marchand n'avait pas reparu. Son magasin demeurait fermé.

Le commissaire me dit :

---

1. *Défaillir* : perdre connaissance.

«J'ai fait toutes les démarches nécessaires. Le parquet est au
140 courant de la chose; nous allons aller ensemble à cette boutique
et la faire ouvrir, vous m'indiquerez tout ce qui est à vous.» Un
coupé[1] nous emporta. Des agents stationnaient, avec un serrurier, devant la porte de la boutique, qui fut ouverte.

Je n'aperçus, en entrant, ni mon armoire, ni mes fauteuils, ni
145 mes tables, ni rien, rien, de ce qui avait meublé ma maison, mais
rien, alors que la veille au soir je ne pouvais faire un pas sans rencontrer un de mes objets.

Le commissaire central, surpris, me regarda d'abord avec
méfiance.

150 «Mon Dieu, monsieur, lui dis-je, la disparition de ces
meubles coïncide étrangement avec celle du marchand.» Il
sourit :

«C'est vrai! Vous avez eu tort d'acheter et de payer des bibelots à vous, hier. Cela lui a donné l'éveil.» Je repris :

155 «Ce qui me paraît incompréhensible, c'est que toutes les
places occupées par mes meubles sont maintenant remplies
par d'autres.

– Oh! répondit le commissaire, il a eu toute la nuit, et des
complices sans doute. Cette maison doit communiquer avec les
160 voisines. Ne craignez rien, monsieur, je vais m'occuper très acti-
vement de cette affaire. Le brigand ne nous échappera pas longtemps puisque nous gardons la tanière[2].»

Ah! mon cœur, mon cœur, mon pauvre cœur, comme il
battait!

165 Je demeurai quinze jours à Rouen. L'homme ne revint pas.
Parbleu! parbleu! Cet homme-là, qui est-ce qui aurait pu
l'embarrasser ou le surprendre?

---

1. *Coupé* : voiture fermée, tirée par des chevaux, à deux places et quatre
roues.
2. *Tanière* : terrier, cachette.

Or, le seizième jour, au matin, je reçus de mon jardinier, gardien de ma maison pillée et demeurée vide, l'étrange lettre que voici :

«Monsieur,

«J'ai l'honneur d'informer monsieur qu'il s'est passé, la nuit dernière, quelque chose que personne ne comprend, et la police pas plus que nous. Tous les meubles sont revenus, tous sans exception, tous, jusqu'aux plus petits objets. La maison est maintenant toute pareille à ce qu'elle était la veille du vol.

«C'est à en perdre la tête. Cela s'est fait dans la nuit de vendredi à samedi. Les chemins sont défoncés comme si on avait traîné tout de la barrière à la porte.

«Il en était ainsi le jour de la disparition.

«Nous attendons monsieur, dont je suis le très humble serviteur

RAUDIN, Philippe.»

Ah! mais non, ah! mais non, ah! mais non. Je n'y retournerai pas!

Je portai la lettre au commissaire de Rouen.

«C'est une restitution très adroite, dit-il. Faisons les morts. Nous pincerons l'homme un de ces jours.»

Mais on ne l'a pas pincé. Non. Ils ne l'ont pas pincé, et j'ai peur de lui, maintenant, comme si c'était une bête féroce lâchée derrière moi.

Introuvable! il est introuvable, ce monstre à crâne de lune! on ne le prendra jamais. Il ne reviendra point chez lui. Que lui importe à lui. Il n'y a que moi qui peux le rencontrer, et je ne veux pas.

Je ne veux pas! je ne veux pas! je ne veux pas!

Et s'il revient, s'il rentre dans sa boutique, qui pourra prouver que mes meubles étaient chez lui? Il n'y a contre lui que mon témoignage; et je sens bien qu'il devient suspect.

₂₀₀ Ah! mais non! cette existence n'était plus possible.

Et je ne pouvais pas garder le secret de ce que j'ai vu.

Je ne pouvais pas continuer à vivre comme tout le monde avec la crainte que des choses pareilles recommençassent.

Je suis venu trouver le médecin qui dirige cette maison de ₂₀₅ santé, et je lui ai tout raconté.

Après m'avoir interrogé longtemps, il m'a dit :

«Consentiriez-vous, monsieur, à rester quelque temps ici?

– Très volontiers, monsieur.

– Vous avez de la fortune?

₂₁₀ – Oui, monsieur.

– Voulez-vous un pavillon[1] isolé?

– Oui, monsieur.

– Voudrez-vous recevoir des amis?

– Non, monsieur, non, personne. L'homme de Rouen pour-₂₁₅ rait oser, par vengeance, me poursuivre ici.»

Et je suis seul, tout seul, depuis trois mois. Je suis tranquille à peu près. Je n'ai qu'une peur... Si l'antiquaire devenait fou... et si on l'amenait en cet asile...

Les prisons elles-mêmes ne sont pas sûres.

---

1. *Pavillon* : ici, petit bâtiment où se situe la chambre du patient.

DOSSIER

■ **Questionnaire de lecture**

■ **Parcours de lecture sur «Le Horla»**

■ **Travaux d'écriture**

■ **Groupement de textes n° 1 :
la genèse du «Horla»**

■ **Groupement de textes n° 2 :
textes théoriques sur le fantastique**

■ **Groupement de textes n° 3 :
la folie dans la littérature du XIXᵉ siècle**

■ **Histoire des arts**

Questionnaire de lecture

Le contexte

1. Établissez de mémoire une rapide chronologie du parcours de Guy de Maupassant. Mettez en évidence les liens que l'auteur entretient avec le genre fantastique. Vous y ferez figurer au moins cinq dates.

2. Quel grand écrivain fut le mentor littéraire de Maupassant?

«Le Horla»

1. Près de quelle ville et de quel cours d'eau le narrateur habite-t-il?

2. Après ses premières crises, quel voyage le narrateur fait-il? Quelle personne rencontre-t-il pendant ce séjour, et quelles réflexions sur le monde invisible lui expose-t-elle?

3. Quels liquides disparaissent dans la chambre du narrateur pendant la nuit? Expliquez le stratagème que le narrateur utilise pour savoir si c'est lui ou une autre créature qui les consomme. Soyez le plus précis possible dans vos réponses.

4. Décrivez en détail l'expérience faite par le docteur Parent pour prouver que l'hypnotisme et la suggestion existent.

5. À quel phénomène le narrateur assiste-t-il dans l'allée de fleurs de son jardin? Racontez l'épisode le plus précisément possible.

6. Peu avant la fin du récit, le narrateur apprend un événement qui s'est produit dans un autre pays et qui expliquerait l'arrivée du Horla: lequel? Selon le narrateur, comment le Horla aurait-il réussi à venir dans sa maison?

7. Quelle décision le narrateur finit-il par prendre, à la fin de la nouvelle? Cette idée est-elle sensée, selon vous? Ce plan atteint-il son but?

Les autres nouvelles du recueil

1. Dans quelle autre nouvelle retrouve-t-on le motif du double ?
2. Quelles sont les différentes scènes d'hypnose qui figurent dans l'ensemble des textes du recueil ?
3. Dans quel(s) récit(s) aucun des personnages ne semble-t-il être fou ?

Parcours de lecture
sur «Le Horla»

Parcours de lecture n° 1 :
présentation du cadre, 8 mai

Relisez le texte du début du «Horla», de «*8 mai.* – Quelle journée admirable !» à «tant ce navire me fit plaisir à voir» (p. 39-40), puis répondez aux questions suivantes en vous appuyant sur le texte.

Le début décisif d'un récit

1. Quelle est la situation d'énonciation (énonciateur, destinataire, moment, lieu et sujet de l'énonciation) ? Argumentez en citant le texte.
2. Quel effet la forme du journal intime produit-elle sur la façon dont le récit va se dérouler ? Selon vous, quels sont les avantages et les inconvénients de cette présentation ?
3. Après avoir lu ces premières lignes, pensez-vous que le texte est un récit à prendre au sérieux ou une parfaite fantaisie ? Argumentez votre réponse.

La relation entre le narrateur et le cadre spatio-temporel

1. Donnez la définition de «cadre spatio-temporel». Décrivez brièvement celui du texte. Relisez le paragraphe à partir de «Vers onze heures» (p. 40) et faites un schéma du lieu décrit.

2. Comment le narrateur se sent-il dans cet environnement? Justifiez votre réponse en vous appuyant sur la syntaxe, le rythme, l'emploi des pronoms, des adjectifs possessifs et de la ponctuation.

3. En vous rappelant la suite du «Horla», pouvez-vous dire quels éléments de cet *incipit* seront importants dans le développement du récit? Citez précisément le texte.

Parcours de lecture n° 2 : premières crises

Relisez le texte de «*16 mai.* – Je suis malade, décidément!» à «je dors enfin, avec calme, jusqu'à l'aurore» (p. 41-43), puis répondez aux questions suivantes en vous appuyant sur le texte.

Les symptômes de la folie

1. Relevez le champ lexical de la maladie et celui des émotions. Comment le narrateur mêle-t-il troubles physiques et psychologiques dans la description de son malaise?

2. Quelle sensation domine chez le narrateur?

3. Quelle(s) interprétation(s) donnez-vous au cauchemar qui vient hanter le narrateur? Argumentez soigneusement votre réponse.

L'introduction du bizarre

1. Comment l'idée de bizarre, d'étrangeté, est-elle introduite dans le texte? Montrez comment la maladie du narrateur permet d'instiller le doute.

2. Le narrateur éprouve-t-il une hésitation ou comprend-il clairement la situation? Quel effet cette attitude a-t-elle sur la suite des événements? Argumentez.

3. Qu'en déduisez-vous sur le type de texte auquel appartient la nouvelle ? Mettez en relation l'extrait présent et l'ensemble du « Horla ».

Parcours de lecture n° 3 : piéger le Horla, rationalisme contre surnaturel

Relisez le texte de « *10 juillet.* – Je viens de faire des épreuves surprenantes » à « Ah ! mon Dieu ! » (p. 48), puis répondez aux questions suivantes en vous appuyant sur le texte.

Un stratagème bien établi

1. Le narrateur n'a rien écrit dans son journal entre le 6 et le 10 juillet. Pourquoi, à votre avis ? Argumentez en citant le texte.
2. Décrivez le plus précisément possible le stratagème du narrateur pour obliger l'être invisible à laisser des traces de sa présence. Comment le déroulement des événements est-il raconté ? À quel type de texte, autre que le conte fantastique, ce passage vous fait-il penser ?
3. Le plan du narrateur vous semble-t-il sans faille ? Pourquoi ? Auriez-vous eu une autre idée ? Si oui, laquelle ?

La troublante preuve rationnelle de l'irrationnel

1. Comment le choc entre le rationnel et l'irrationnel est-il exprimé à la fin du texte ? Citez et commentez le texte (ponctuation, pronoms personnels, etc.).
2. Quel rapport est établi entre la créature invisible et le narrateur ? Lequel cherche à connaître l'autre ? Pourquoi le fait-il ?
3. Relisez la partie de la présentation intitulée « Le XIXe siècle, ère du rationnel ? » (p. 15-21). Quel rapport établissez-vous entre le contexte scientifique et intellectuel de la fin du XIXe siècle et le comportement du narrateur dans ce passage ?

Parcours de lecture n° 4 :
nommer le Horla, la dramatisation du texte

Relisez le texte de « *19 août*. – Je sais… » à « c'est lui… le Horla…
il est venu !… » (p. 64-65), puis répondez aux questions suivantes
en vous appuyant sur le texte.

L'aboutissement du récit

1. Identifiez tous les épisodes précédents auxquels ce texte fait
référence. Sont-ils racontés de façon organisée et cohérente ?
Faites un schéma récapitulant ces événements de manière
logique.

2. Analysez la progression du récit. En quoi la tension est-elle
croissante ? Comment le narrateur parvient-il à ce résultat ?

Le surnaturel rationalisé

1. Comment le narrateur parvient-il à donner à son discours les
apparences d'un raisonnement solide et incisif ? L'est-il vraiment ? Citez et analysez le texte.

Le Horla au cœur du texte

1. Qu'est-ce qui pousse le narrateur à nommer le Horla ?
Semble-t-il le faire seul ? Quelle importance revêt le fait de pro-
noncer ce nom ?

2. Quel rapport le narrateur entretient-il désormais avec le
Horla ? En quoi peut-on dire que le Horla est un double du narrateur ? Expliquez votre réponse le plus précisément possible.

Parcours de lecture n° 5 : la scène du miroir

Relisez le texte de « *19 août*. – Je le tuerai » à « qui me fait encore
frissonner » (p. 67-68), puis répondez aux questions suivantes en
vous appuyant sur le texte.

Une scène orchestrée

1. Décrivez le plan prévu par le narrateur. La scène se déroule-t-elle exactement comme elle était envisagée ? Si non, quelles sont les différences ?

2. Faites un schéma du lieu, en mentionnant les principales étapes de l'action.

3. Quel(s) sens est (sont) explicitement sollicité(s) ici ?

Un face-à-face sous le signe du double

1. Que fait le narrateur au tout début du passage ? Cette scène vous rappelle-t-elle un épisode précédent ?

2. Comment la figure du double se manifeste-t-elle ici ? Le narrateur peut-il affirmer à juste titre qu'il a vu le Horla ? Pourquoi ?

3. En quoi le caractère fantastique de la scène est-il particulièrement manifeste ? Précisez quelles caractéristiques du genre interviennent dans ce passage.

Travaux d'écriture

1. Imaginez que le Horla s'adresse au narrateur après la scène finale de la nouvelle. Votre devoir se présentera sous la forme d'un dialogue au style direct, rapporté par le narrateur dans la suite de son journal. Vous tiendrez compte de toutes les contraintes formelles qu'impliquent la forme du journal intime et celle du dialogue.

2. D'après vous, le narrateur est-il fou ou, au contraire, extrêmement lucide et sensible ? Vous prendrez position en argumentant votre réponse et en vous appuyant sur le texte de Maupassant.

Groupement de textes n° 1 : la genèse du «Horla»

L'écriture du «Horla» est un processus en plusieurs étapes. La version que nous en connaissons, où un narrateur expose dans son journal intime ses soupçons sur l'existence du Horla, ne voit le jour qu'après deux autres nouvelles : «Lettre d'un fou» et «Le Horla» (première version). Si les trois récits sont formellement très différents, l'intrigue de base reste la même : un homme, peut-être fou, se prétend hanté par un être invisible. De plus, chacun de ces textes accorde une place importante à la scène du miroir (voir p. 132), qui semble résumer à elle seule toute l'angoisse du narrateur.

«Lettre d'un fou», 1885

La «Lettre d'un fou» prend la forme d'un courrier adressé à un médecin. Elle est signée «Maufrigneuse», l'un des noms de plume de Maupassant, et présentée comme un document réel que l'écrivain n'aurait fait que recopier. Après des considérations théoriques sur l'Invisible et les forces qui nous entourent, l'auteur de la lettre évoque rapidement les sensations étranges qu'il éprouve, jusqu'à la scène du miroir.

Or, un soir, j'ai entendu craquer mon parquet derrière moi. Il a craqué d'une façon singulière. J'ai frémi. Je me suis tourné. Je n'ai rien vu. Et je n'y ai plus songé.

Mais le lendemain, à la même heure, le même bruit s'est produit. J'ai eu tellement peur que je me suis levé, sûr, sûr, sûr, que je n'étais pas seul dans ma chambre. On ne voyait rien pourtant. L'air était limpide[1], transparent partout. Mes deux lampes éclairaient tous les coins.

---

1. *Limpide* : clair, pur.

Le bruit ne recommença pas et je me calmai peu à peu ; je restais inquiet cependant, je me retournais souvent.

Le lendemain, je m'enfermai de bonne heure, cherchant comment je pourrais parvenir à voir l'Invisible qui me visitait.

Et je l'ai vu. J'en ai failli mourir de terreur.

J'avais allumé toutes les bougies de ma cheminée et de mon lustre. La pièce était éclairée comme pour une fête. Mes deux lampes brûlaient sur ma table.

En face de moi, mon lit, un vieux lit de chêne à colonnes. À droite, ma cheminée. À gauche, ma porte que j'avais fermée au verrou. Derrière moi, une très grande armoire à glace. Je me regardai dedans. J'avais des yeux étranges et les pupilles très dilatées[1].

Puis je m'assis comme tous les jours.

Le bruit s'était produit, la veille et l'avant-veille, à neuf heures vingt-deux minutes. J'attendis. Quand arriva le moment précis, je perçus une indescriptible sensation, comme si un fluide, un fluide irrésistible eût pénétré en moi par toutes les parcelles[2] de ma chair, noyant mon âme dans une épouvante atroce et bonne. Et le craquement se fit, tout contre moi.

Je me dressai en me tournant si vite que je faillis tomber. On y voyait comme en plein jour, et je ne me vis pas dans la glace ! Elle était vide, claire, pleine de lumière. Je n'étais pas dedans, et j'étais en face, cependant. Je la regardais avec des yeux affolés. Je n'osais pas aller vers elle, sentant bien qu'il était entre nous, lui, l'Invisible, et qu'il me cachait.

Oh ! comme j'eus peur ! Et voilà que je commençai à m'apercevoir dans une brume au fond du miroir, dans une brume comme à travers de l'eau ; et il me semblait que cette eau glissait de gauche à droite, lentement, me rendant plus précis de seconde en seconde. C'était comme la fin d'une éclipse. Ce qui me cachait n'avait pas de contours, mais une sorte de transparence opaque[3] s'éclaircissant peu à peu.

---

1. Dilatées : qui ont augmenté de volume.
2. Parcelles : petites parties.
3. Opaque : qui ne laisse pas passer la lumière ; contraire de «transparent».

Et je pus enfin me distinguer nettement, ainsi que je le fais tous les jours en me regardant.

Je l'avais donc vu !

Et je ne l'ai pas revu.

Mais je l'attends sans cesse, et je sens que ma tête s'égare[1] dans cette attente.

Je reste pendant des heures, des nuits, des jours, des semaines, devant ma glace, pour l'attendre ! Il ne vient plus.

Il a compris que je l'avais vu. Mais moi je sens que je l'attendrai toujours, jusqu'à la mort, que je l'attendrai sans repos, devant cette glace, comme un chasseur à l'affût[2].

Et, dans cette glace, je commence à voir des images folles, des monstres, des cadavres hideux, toutes sortes de bêtes effroyables, d'êtres atroces, toutes les visions invraisemblables qui doivent hanter l'esprit des fous.

Voilà ma confession, mon cher docteur. Dites-moi ce que je dois faire ?

Pour copie[3] :
MAUFRIGNEUSE.

Maupassant, «Lettre d'un fou», *Le Horla et autres contes d'angoisse*, éd. A. Fonyi, GF-Flammarion, 1984, p. 42-43.

Questions

1. Comparez le texte avec le passage correspondant dans «Le Horla», p. 68. Quelle évolution remarquez-vous ?

2. Étudiez l'emploi des temps dans cet extrait. Que ressent le lecteur devant le retour au présent, à la fin du texte ?

3. Quel effet produit la présentation de cet écrit sous forme de lettre à un médecin ? Cela vous plaît-il plus, moins ou autant que la version de 1887 ? Justifiez votre réponse.

---

1. S'égare : se perd.

2. À l'affût : qui guette.

3. Pour copie : formule qui indique qu'un texte recopié est conforme à l'original. Maupassant fait semblant de présenter une lettre réelle.

«Le Horla», première version, 1886

Cette version du «Horla» présente un récit enchâssé. Lors d'une rencontre entre savants dans l'institut psychiatrique du docteur Marrande, ce dernier présente à ses collègues l'un de ses patients, qui raconte alors son histoire. Celle-ci correspond à la trame de la seconde version du «Horla». On retrouve dans les deux textes un décor similaire et des épisodes identiques : la scène où le narrateur voit une rose coupée par une main invisible, ou encore l'enquête qu'il mène pour savoir qui boit l'eau et le lait dans sa chambre, pendant la nuit (voir p. 57-58 et 47-48).

Ayant soif un soir, je bus un demi-verre d'eau et je remarquai que ma carafe, posée sur la commode[1] en face de mon lit, était pleine jusqu'au bouchon de cristal.

J'eus, pendant la nuit, un de ces réveils affreux dont je viens de vous parler. J'allumai ma bougie, en proie à[2] une épouvantable angoisse, et, comme je voulus boire de nouveau, je m'aperçus avec stupeur que ma carafe était vide. Je n'en pouvais croire mes yeux. Ou bien on était entré dans ma chambre, ou bien j'étais somnambule.

Le soir suivant, je voulus faire la même épreuve. Je fermai donc ma porte à clef pour être certain que personne ne pourrait pénétrer chez moi. Je m'endormis et je me réveillai comme chaque nuit. *On* avait bu toute l'eau que j'avais vue deux heures plus tôt.

Qui avait bu cette eau? Moi, sans doute, et pourtant je me croyais sûr, absolument sûr, de n'avoir pas fait un mouvement dans mon sommeil profond et douloureux.

Alors j'eus recours à des ruses pour me convaincre que je n'accomplissais point ces actes inconscients. Je plaçai un soir, à côté de la carafe, une bouteille de vieux bordeaux, une tasse de lait dont j'ai horreur, et des gâteaux au chocolat que j'adore.

Le vin et les gâteaux demeurèrent intacts. Le lait et l'eau disparurent. Alors, chaque jour, je changeai les boissons et les nourri-

---

1. *Commode* : large meuble, assez bas, servant à ranger le linge.
2. *En proie à* : assailli par.

tures. Jamais *on* ne toucha aux choses solides, compactes, et *on* ne but, en fait de liquide, que du laitage frais et de l'eau surtout.

Mais ce doute poignant[1] restait dans mon âme. N'était-ce pas moi qui me levais sans en avoir conscience, et qui buvais même les choses détestées, car mes sens engourdis par le sommeil somnambulique pouvaient être modifiés, avoir perdu leurs répugnances[2] ordinaires et acquis des goûts différents.

Je me servis alors d'une ruse nouvelle contre moi-même. J'enveloppai tous les objets auxquels il fallait infailliblement toucher avec des bandelettes de mousseline blanche et je les recouvris encore avec une serviette de batiste.

Puis, au moment de me mettre au lit, je me barbouillai les mains, les lèvres et la moustache avec de la mine de plomb.

À mon réveil, tous les objets étaient demeurés immaculés bien qu'on y eût touché, car la serviette n'était point posée comme je l'avais mise ; et, de plus, on avait bu de l'eau, et du lait. Or ma porte fermée avec une clef de sûreté et mes volets cadenassés par prudence, n'avaient pu laisser pénétrer personne.

Alors, je me posai cette redoutable question. Qui donc était là, toutes les nuits, près de moi ?

Je sens, messieurs, que je vous raconte cela trop vite. Vous souriez, votre opinion est déjà faite : « C'est un fou. » J'aurais dû vous décrire longuement cette émotion d'un homme qui, enfermé chez lui, l'esprit sain, regarde, à travers le verre d'une carafe, un peu d'eau disparue pendant qu'il a dormi. J'aurais dû vous faire comprendre cette torture renouvelée chaque soir et chaque matin, et cet invincible sommeil, et ces réveils plus épouvantables encore.

Dans les dernières lignes de la nouvelle, le narrateur tente de voir l'être qui le hante : le texte s'achève alors sur la même scène du miroir que la « Lettre d'un fou ».

---

1. *Poignant* : suscitant une vive souffrance morale.
2. *Répugnances* : répulsions, dégoûts.

Attendez. L'Être! Comment le nommerai-je? L'Invisible. Non, cela ne suffit pas. Je l'ai baptisé le Horla. Pourquoi? Je ne sais point. Donc le Horla ne me quittait plus guère. J'avais jour et nuit la sensation, la certitude de la présence de cet insaisissable voisin, et la certitude aussi qu'il prenait ma vie, heure par heure, minute par minute.

L'impossibilité de le voir m'exaspérait[1] et j'allumais toutes les lumières de mon appartement, comme si j'eusse pu, dans cette clarté, le découvrir.

Je le vis, enfin.

Vous ne me croyez pas. Je l'ai vu cependant.

J'étais assis devant un livre quelconque, ne lisant pas, mais guettant, avec tous mes organes surexcités, guettant celui que je sentais près de moi. Certes, il était là. Mais où? Que faisait-il? Comment l'atteindre?

En face de moi mon lit, un vieux lit de chêne à colonnes. À droite ma cheminée. À gauche ma porte que j'avais fermée avec soin. Derrière moi une très grande armoire à glace, qui me servait chaque jour pour me raser, pour m'habiller, où j'avais coutume de me regarder de la tête aux pieds chaque fois que je passais devant.

Donc je faisais semblant de lire; pour le tromper, car il m'épiait[2] lui aussi; et soudain je sentis, je fus certain qu'il lisait par-dessus mon épaule, qu'il était là, frôlant mon oreille.

Je me dressai, en me tournant si vite que je faillis tomber. Eh bien… on y voyait comme en plein jour… et je ne me vis pas dans ma glace! Elle était vide, claire, pleine de lumière. Mon image n'était pas dedans… Et j'étais en face… Je voyais le grand verre limpide, du haut en bas! Et je regardais cela avec des yeux affolés, et je n'osais plus avancer, sentant bien qu'il se trouvait entre nous, lui, et qu'il m'échapperait encore, mais que son corps imperceptible avait absorbé mon reflet.

Comme j'eus peur! Puis voilà que tout à coup je commençai à m'apercevoir dans une brume, au fond du miroir, dans une brume,

---

1. *M'exaspérait* : m'irritait énormément.
2. *M'épiait* : m'espionnait, me surveillait à mon insu.

comme à travers une nappe d'eau; et il me semblait que cette eau glissait de gauche à droite, lentement, rendant plus précise mon image de seconde en seconde. C'était comme la fin d'une éclipse. Ce qui me cachait ne paraissait point posséder de contours nettement arrêtés, mais une sorte de transparence opaque s'éclaircissant peu à peu.

Je pus enfin me distinguer complètement ainsi que je fais chaque jour en me regardant.

Je l'avais vu. L'épouvante m'en est restée, qui me fait encore frissonner.

Le lendemain j'étais ici, où je priai qu'on me gardât.

Maupassant, «Le Horla» [première version],
Le Horla et autres contes d'angoisse, éd. A. Fonyi,
GF-Flammarion, 1984, p. 47-49 et 51-52.

Questions

1. Comparez la première scène du «Horla», première version (de «ayant soif» à «plus épouvantables encore»), avec le passage correspondant dans «Le Horla», deuxième version (p. 47-48). Quelles modifications Maupassant a-t-il apportées en 1887, et dans quel but?

2. Comparez les trois scènes du miroir. Quels en sont les points communs? Quelles en sont les différences? À votre avis, pourquoi retrouve-t-on cette scène dans toutes les versions?

3. Quels éléments rendent le journal de la seconde version du «Horla» plus prenant que le récit du patient du docteur Marrande dans la première version? Existe-t-il une autre forme d'art capable de plonger le lecteur dans l'action, comme le journal intime? Si oui, laquelle et comment?

Groupement de textes n° 2 : textes théoriques sur le fantastique

Si le conte fantastique connaît le succès en France dès les années 1830, ce n'est qu'à la fin du XIXe siècle et au XXe siècle que les critiques ont tenté de le définir. Les écrivains, comme Maupassant lui-même, ou l'auteur de science-fiction Jacques Goimard (1934-2012), proposent des réflexions qui se nourrissent de leur propre pratique littéraire, tandis que des théoriciens tels Tzvetan Todorov (né en 1939) essaient de proposer une définition générale du genre. Outre la présence du surnaturel, ces différentes théories mettent l'accent sur le lien particulier que le texte fantastique entretient avec le lecteur.

Maupassant, « Le fantastique », *Le Gaulois*, 1883

Outre ses contes et ses romans, Guy de Maupassant travaille également comme chroniqueur dans plusieurs journaux, dont *Le Gaulois*. Le 7 octobre 1883, deux ans avant la « Lettre d'un fou », il y fait paraître un article qui met en lumière l'évolution de la littérature fantastique. Il rapproche les transformations du genre et le rapport qu'entretiennent les individus à l'étrange et au surnaturel, bouleversé par le développement des sciences.

Lentement, depuis vingt ans, le surnaturel est sorti de nos âmes. Il s'est évaporé comme s'évapore un parfum quand la bouteille est débouchée. En portant l'orifice[1] aux narines et en aspirant longtemps, longtemps, on retrouve à peine une vague senteur. C'est fini.

---

1. *Orifice* : ouverture.

Nos petits-enfants s'étonneront des croyances naïves de leurs pères à des choses si ridicules et si invraisemblables. Ils ne sauront jamais ce qu'était autrefois, la nuit, la peur du mystérieux, la peur du surnaturel. C'est à peine si quelques centaines d'hommes s'acharnent encore à croire aux visites des esprits, aux influences de certains êtres ou de certaines choses, au somnambulisme lucide[1], à tout le charlatanisme[2] des spirites[3]. C'est fini.

Notre pauvre esprit inquiet, impuissant, borné, effaré[4] par tout effet dont il ne saisissait pas la cause, épouvanté par le spectacle incessant et incompréhensible du monde a tremblé pendant des siècles sous des croyances étranges et enfantines qui lui servaient à expliquer l'inconnu. Aujourd'hui, il devine qu'il s'est trompé, et il cherche à comprendre, sans savoir encore. Le premier pas, le grand pas est fait. Nous avons rejeté le mystérieux qui n'est plus pour nous que l'inexploré.

Dans vingt ans, la peur de l'irréel n'existera plus même dans le peuple des champs. Il semble que la Création ait pris un autre aspect, une autre figure, une autre signification qu'autrefois. De là va certainement résulter la fin de la littérature fantastique.

Elle a eu, cette littérature, des périodes et des allures bien diverses, depuis le roman de chevalerie, les *Mille et Une Nuits*, les poèmes héroïques, jusqu'aux contes de fées et aux troublantes histoires d'Hoffmann et d'Edgar Poe[5].

---

1. *Somnambulisme lucide* : état de somnambulisme, c'est-à-dire d'activité pendant le sommeil, où l'individu a des facultés mentales plus développées que lorsqu'il est éveillé.
2. *Charlatanisme* : art d'exploiter la crédulité d'autrui pour s'enrichir ou s'imposer.
3. *Spirites* : adeptes du spiritisme, science occulte qui provoque la manifestation des esprits par l'intermédiaire d'un médium.
4. *Effaré* : hagard.
5. *Les Mille et Une Nuits* : recueil de contes arabes. *Poèmes héroïques* : épopées, comme *L'Iliade* et *L'Odyssée* de l'auteur grec Homère (VIIIe siècle av. J.-C.). *Ernst Theodor Amadeus Hoffmann* (1776-1822) : écrivain allemand, auteur des célèbres *Contes fantastiques*. *Edgar Allan Poe* (1809-1849) : écrivain américain, auteur de nombreuses nouvelles fantastiques traduites en français par Baudelaire, dans les recueils *Histoires extraordinaires* et *Nouvelles Histoires extraordinaires*. On voit que Maupassant classe dans

Quand l'homme croyait sans hésitation, les écrivains fantastiques ne prenaient point de précautions pour dérouler leurs surprenantes histoires. Ils entraient, du premier coup, dans l'impossible et y demeuraient, variant à l'infini les combinaisons invraisemblables, les apparitions, toutes les ruses effrayantes pour enfanter l'épouvante.

Mais, quand le doute eut pénétré enfin dans les esprits, l'art est devenu plus subtil. L'écrivain a cherché les nuances, a rôdé autour du surnaturel plutôt que d'y pénétrer. Il a trouvé des effets terribles en demeurant sur la limite du possible, en jetant les âmes dans l'hési- tation, dans l'effarement. Le lecteur indécis ne savait plus, perdait pied comme en une eau dont le fond manque à tout instant, se rac- crochait brusquement au réel pour s'enfoncer encore tout aussitôt, et se débattre de nouveau dans une confusion pénible et enfiévrante[1] comme un cauchemar.

L'extraordinaire puissance terrifiante d'Hoffmann et d'Edgar Poe vient de cette habileté savante, de cette façon particulière de cou- doyer[2] le fantastique et de troubler, avec des faits naturels où reste pourtant quelque chose d'inexpliqué et de presque impossible.

Maupassant, «Le fantastique», *Le Gaulois*, 7 octobre 1883.

Questions

1. Quelle transformation dans le rapport des individus au sur- naturel Maupassant met-il en évidence ? Êtes-vous d'accord avec son point de vue ?

2. Comment les écrivains ont-ils réagi face à ce bouleverse- ment ? D'après vous, cela est-il efficace ? Pourquoi ?

3. Selon vous, quelle position Maupassant prend-il face à ce changement : regrette-t-il le passé ou se félicite-t-il de cette évolution ?

4. Situez «Le Horla» par rapport à ces différentes approches du surnaturel.

le genre fantastique tous les textes contenant des éléments surnaturels, sans distinction.
1. *Enfiévrante* : qui met dans un état d'intense agitation psychique.
2. *Coudoyer* : frôler, toucher du bout du coude.

Jacques Goimard, préface à *La Grande Anthologie du fantastique*, 1977

Auteur de nouvelles de science-fiction et de *fantasy*, Jacques Goimard est connu pour avoir élaboré des anthologies sur les genres littéraires qui entretiennent un rapport avec le surnaturel. *La Grande Anthologie du fantastique*, qu'il compose avec Roland Stragliati (1909-1999), donne à voir une large palette de textes fantastiques ainsi que l'évolution de ce genre littéraire. Dans un récit fantastique, lecteur et auteur sont liés par une structure qui revient dans la plupart des textes, quels que soient leur époque et leur auteur.

La recette est toujours la même ou presque. Dans un premier temps, le pêcheur – c'est-à-dire l'auteur – lance sa ligne dans la rivière après l'avoir appâtée. L'appât, ce sont quelques dizaines de pages situées dans la banalité quotidienne et conformes à l'esthétique réaliste la plus orthodoxe[1], pour endormir la méfiance du lecteur avec une pincée d'étrange de temps en temps créant une inquiétude, un décalage à peine appuyé, comme si des lézardes[2] se creusaient entre les phrases, comme si l'essentiel du texte était dans le non-dit, comme si l'hameçon pointait sous l'appât.

Deuxième temps : le poisson a mordu, il faut le ferrer[3]. Nos doutes sont cristallisés[4] par un coup de théâtre où intervient un être ou un événement monstrueux, parfaitement étranger au système réaliste instauré précédemment (et déjà rongé de l'intérieur grâce aux précautions prises). Il ne s'agit pas vraiment, comme l'ont dit certains, de nous faire basculer dans un autre univers ; mais pas davantage, comme d'autres l'ont affirmé, de préserver une ambiguïté. Le

---

1. *Orthodoxe* : conforme à un dogme religieux ; par extension : conforme aux règles.
2. *Lézardes* : crevasses profondes.
3. *Le ferrer* : remonter la canne à pêche pour que l'hameçon s'accroche à la bouche du poisson.
4. *Cristallisés* : concrétisés.

véritable problème de l'auteur, à cette étape du récit, c'est de déshabiller sa vision, de parvenir à nous la montrer dans toute sa pureté native, et de nous empêcher de nous poser des questions. L'auteur est nu et désarmé, mais le lecteur ne doit pas être en situation de contre-attaquer. Il doit donc être sous le coup d'une émotion violente, préparée par les failles antérieures du récit. C'est la phase hystérique[1].

Troisième temps : le poisson est ferré, il n'y a plus qu'à rembobiner le moulinet, tendre l'épuisette et s'emparer de la proie. Les croyances du lecteur ont disparu dans la débâcle, le système réaliste est détruit, il ne reste plus qu'à occuper le terrain, à édifier – peut-être – un autre système. C'est le plus difficile et aussi le plus incertain. Le fantastique, selon les époques, a trouvé à ce problème des solutions variées.

Le plus simple était de se référer aux croyances ancestrales, généralement acquises par le lecteur dans son enfance et plus ou moins refoulées ou rejetées par la suite. On mobilise certains personnages folkloriques, trop inquiétants et à ce titre peu fréquents dans les contes de fées littéraires : les fantômes, les démons, les loups-garous, les doubles jouent les rôles principaux du fantastique romantique, né dans une société rurale encore mal dégagée de ses traditions. [...]

De ce fantastique enraciné dans le terroir se dégagea progressivement une littérature plus adaptée à la société urbaine actuelle. D'abord, cette société a engendré ses propres croyances, magnétisme, spiritisme, parapsychologie[2], et nombre d'auteurs, adeptes ou non de ce que les uns appellent des sciences et les autres des pseudosciences, ont traité des thèmes inspirés de la tradition occultiste[3].

---

1. *Phase hystérique* : au sens propre, phase d'un trouble psychique où le malade souffre d'une crise émotionnelle ou même de symptômes physiques. Ici, cette métaphore désigne une crise dans le récit.
2. *Magnétisme* : doctrine qui affirme qu'une sorte de fluide magnétique passe d'un individu à l'autre. *Parapsychologie* : étude des phénomènes psychiques paranormaux, comme la voyance ou la prémonition.
3. *Tradition occultiste* : ensemble des sciences occultes, c'est-à-dire des doctrines et des pratiques faisant intervenir des forces invisibles et qui ne sont reconnues ni par la science ni par la religion (astrologie, pratiques divinatoires, etc.).

Un peu plus tard, l'écrivain a découvert que rien ne l'empêchait d'inventer sa propre mythologie : ce fut l'époque des grandes constructions imaginaires dont la plus célèbre – et la plus achevée – est celle de Lovecraft[1].

Jacques Goimard et Roland Stragliati, *La Grande Anthologie du fantastique*, © Omnibus, 1996.

Questions

1. Quel type de relation l'auteur d'un récit fantastique entretient-il avec ses lecteurs ? Selon vous, correspond-elle à la réalité ?

2. Pour l'auteur d'un récit fantastique, quelle est la phase la plus difficile dans sa relation avec le lecteur ? À quoi a-t-il alors recours ?

3. Comment le fantastique a-t-il évolué au cours du temps ? À quel(s) domaine(s) s'est-il appliqué ?

Tzvetan Todorov, *Introduction à la littérature fantastique*, 1970

Dans son ouvrage *Introduction à la littérature fantastique*, l'essayiste et philosophe Tzvetan Todorov donne l'une des plus fameuses définitions du fantastique. Menant une réflexion poussée sur la notion de fantastique et sur sa pratique littéraire, il explique l'utilité, sinon la nécessité, de raconter un récit fantastique à la première personne du singulier.

Les nouvelles de Maupassant illustrent les différents degrés de confiance que nous accordons aux récits. On peut en distinguer

---

1. *Howard Phillips Lovecraft* (1890-1937) : écrivain américain, connu pour ses récits fantastiques, d'horreur et de science-fiction. Il a notamment écrit «La Couleur tombée du ciel» (1927) et «L'Appel de Cthulhu» (1928).

deux, selon que le narrateur est extérieur à l'histoire ou en est un des agents principaux. Extérieur, il peut ou non authentifier lui-même les dires du personnage, et le premier cas rend le récit plus convaincant, comme dans «Un fou?». Sinon, le lecteur sera tenté d'expliquer le fantastique par la folie, comme dans «La Chevelure» et dans la première version du «Horla»; d'autant que le cadre du récit est chaque fois une maison de santé.

Mais dans ses meilleures nouvelles fantastiques – «Lui?», «La Nuit», «Le Horla», «Qui sait?» –, Maupassant fait du narrateur le héros même de l'histoire (c'est le procédé d'Edgar Poe et de beaucoup d'autres après lui). L'accent est mis alors sur le fait qu'il s'agit du discours d'un personnage plus que d'un discours de l'auteur : la parole est sujette à caution, et nous pouvons bien supposer que tous ces personnages sont des fous; toutefois, du fait qu'ils ne sont pas introduits par un discours distinct du narrateur, nous leur prêtons encore une paradoxale confiance. On ne nous dit pas que le narrateur ment et la possibilité qu'il mente, en quelque sorte structuralement nous choque; mais cette possibilité existe (puisqu'il est aussi personnage), et l'hésitation peut naître chez le lecteur.

Tzvetan Todorov, *Introduction à la littérature fantastique*, © Le Seuil, 1970, rééd. coll. «Points Essais», 1976, p. 90-91.

Questions

1. Quel est l'intérêt d'employer la première personne du singulier?

2. Comment l'hésitation naît-elle chez le lecteur?

Groupement de textes n° 3 : la folie dans la littérature du XIXᵉ siècle

Au XIXᵉ siècle, la description de la folie est un thème de prédilection de nombreux écrivains. Une vision hallucinatoire née de la douleur amoureuse inspire la création poétique chez le poète et dramaturge Alfred de Musset (1810-1857). La folie est au cœur des textes fantastiques de Prosper Mérimée (1803-1870) ou d'Auguste Villiers de L'Isle-Adam (1838-1889), tandis qu'Octave Mirbeau (1848-1917) décrit avec un humour caustique le traitement que les hospices et maisons de santé font subir à leurs patients.

Musset, «La Nuit de décembre», 1835

Après sa rupture avec la romancière George Sand (1804-1876), Alfred de Musset compose un recueil de quatre poèmes, *Les Nuits*, où il exprime toute sa douleur. Dans «La Nuit de décembre» il exploite le thème du double : le poème retrace les principales étapes de sa vie, où le narrateur retrouve toujours son double, qui lui «ressembl[e] comme un frère». Au-delà de son aspect symbolique (le «frère» est une incarnation de la «Solitude»), cette obsession semble refléter un trouble psychologique dû à un choc émotionnel.

> Du temps que j'étais écolier,
> Je restais un soir à veiller
> Dans notre salle solitaire.
> Devant ma table vint s'asseoir

Un pauvre enfant vêtu de noir,
Qui me ressemblait comme un frère.

Son visage était triste et beau :
À la lueur de mon flambeau,
Dans mon livre ouvert il vint lire.
Il pencha son front sur sa main,
Et resta jusqu'au lendemain,
Pensif, avec un doux sourire.

Comme j'allais avoir quinze ans
Je marchais un jour, à pas lents,
Dans un bois, sur une bruyère[1].
Au pied d'un arbre vint s'asseoir
Un jeune homme vêtu de noir,
Qui me ressemblait comme un frère.

Je lui demandai mon chemin ;
Il tenait un luth[2] d'une main,
De l'autre un bouquet d'églantine[3].
Il me fit un salut d'ami,
Et, se détournant à demi,
Me montra du doigt la colline.

À l'âge où l'on croit à l'amour,
J'étais seul dans ma chambre un jour,
Pleurant ma première misère[4].
Au coin de mon feu vint s'asseoir
Un étranger vêtu de noir,
Qui me ressemblait comme un frère.

---

1. *Bruyère* : arbrisseau à petites fleurs violacées.
2. *Luth* : ancien instrument de musique à cordes pincées.
3. *Églantine* : rose sauvage.
4. *Misère* : ici, malheur.

Il était morne et soucieux ;
D'une main il montrait les cieux,
Et de l'autre il tenait un glaive.
De ma peine il semblait souffrir,
Mais il ne poussa qu'un soupir,
Et s'évanouit comme un rêve.

À l'âge où l'on est libertin[1],
Pour boire un toast en un festin,
Un jour je soulevais mon verre.
En face de moi vint s'asseoir
Un convive vêtu de noir,
Qui me ressemblait comme un frère.

Il secouait sous son manteau
Un haillon de pourpre[2] en lambeau,
Sur sa tête un myrte[3] stérile.
Son bras maigre cherchait le mien,
Et mon verre, en touchant le sien,
Se brisa dans ma main débile[4].

Un an après, il était nuit ;
J'étais à genoux près du lit
Où venait de mourir mon père.
Au chevet du lit vint s'asseoir
Un orphelin vêtu de noir,
Qui me ressemblait comme un frère.

Ses yeux étaient noyés de pleurs ;
Comme les anges de douleurs,

---

1. **Libertin** : débauché.
2. **Pourpre** : couleur du pouvoir dans la Rome antique.
3. **Myrte** : arbre ou arbrisseau à feuilles résistantes. Le myrte est un des symboles de Vénus, déesse de l'amour et de la beauté.
4. **Débile** : ici, affaiblie.

Il était couronné d'épine ;
Son luth à terre était gisant,
Sa pourpre de couleur de sang,
Et son glaive dans sa poitrine.

Je m'en suis si bien souvenu,
Que je l'ai toujours reconnu
À tous les instants de ma vie.
C'est une étrange vision,
Et cependant, ange ou démon,
J'ai vu partout cette ombre amie. [...]

Musset, « La Nuit de décembre », *Poésies nouvelles*,
éd. J. Bony, GF-Flammarion, 2000, p. 84-86, v. 1-66.

Questions

1. Quelle est la structure de ce poème ? Quel effet cela produit-il sur le lecteur ? Argumentez votre réponse.

2. Relevez le champ lexical des émotions. Quel rapport ces sentiments entretiennent-ils avec la folie ? Expliquez.

3. Quelles différences remarquez-vous entre le Horla et le double du poème de Musset ? Ces deux apparitions relèvent-elles de la même folie ? Justifiez votre réponse.

Mérimée, « La Vénus d'Ille », 1837

Dans sa nouvelle fantastique « La Vénus d'Ille », Prosper Mérimée raconte la découverte d'une statue de Vénus en bronze par l'archéologue M. de Peyrehorade. Son fils Alphonse, qui doit se marier le lendemain, glisse son alliance au doigt de la statue, en guise de plaisanterie. Au petit matin, Alphonse est retrouvé mort dans son lit nuptial. Le narrateur intrigué demande au procureur du roi[1] quelles sont les circonstances de ce décès mystérieux.

---

1. *Procureur du roi* : magistrat chargé de faire appliquer la loi et de représenter le ministère public pendant les procès.

«Avez-vous appris quelque chose de Mme Alphonse ? demandai-je au procureur du roi, lorsque ma déposition fut écrite et signée.

– Cette malheureuse jeune personne est devenue folle, me dit-il en souriant tristement. Folle ! tout à fait folle. Voici ce qu'elle conte :

Elle était couchée, dit-elle, depuis quelques minutes, les rideaux tirés, lorsque la porte de sa chambre s'ouvrit, et quelqu'un entra. Alors Mme Alphonse était dans la ruelle[1] du lit, la figure tournée vers la muraille. Elle ne fit pas un mouvement, persuadée que c'était son mari. Au bout d'un instant le lit cria comme s'il était chargé d'un poids énorme. Elle eut grand-peur, mais n'osa pas tourner la tête. Cinq minutes, dix minutes peut-être… elle ne peut se rendre compte du temps, se passèrent de la sorte. Puis elle fit un mouvement involontaire, ou bien la personne qui était dans le lit en fit un, et elle sentit le contact de quelque chose de froid comme la glace, ce sont ses expressions. Elle s'enfonça dans la ruelle tremblant de tous ses membres. Peu après, la porte s'ouvrit une seconde fois, et quelqu'un entra, qui dit : Bonsoir, ma petite femme. Bientôt après on tira les rideaux. Elle entendit un cri étouffé. La personne qui était dans le lit, à côté d'elle, se leva sur son séant[2] et parut étendre les bras en avant. Elle tourna la tête alors… et vit, dit-elle, son mari à genoux auprès du lit, la tête à la hauteur de l'oreiller, entre les bras d'une espèce de géant verdâtre qui l'étreignait avec force. Elle dit, et m'a répété vingt fois, pauvre femme !… elle dit qu'elle a reconnu… devinez-vous ? La Vénus de bronze, la statue de M. de Peyrehorade… Depuis qu'elle est dans le pays, tout le monde en rêve. Mais je reprends le récit de la malheureuse folle. À ce spectacle, elle perdit connaissance, et probablement depuis quelques instants elle avait perdu la raison. Elle ne peut en aucune façon dire combien de temps elle demeura évanouie. Revenue à elle, elle revit le fantôme, ou la statue, comme elle dit toujours, immobile, les jambes et le bas du corps dans le lit, le buste et les bras étendus en avant, et entre ses bras son mari, sans mouvement. Un coq chanta. Alors la statue sortit du lit, laissa tomber le

---

1. **Ruelle** : espace situé entre le côté du lit et le mur.
2. **Se leva sur son séant** : s'assit.

cadavre et sortit. Mme Alphonse se pendit à la sonnette[1], et vous savez le reste.»

Mérimée, *La Vénus d'Ille*, éd. T. Ozwald, Flammarion, coll. «Étonnants Classiques», 2009, p. 76-77.

Questions

1. Quels éléments du discours du procureur laissent penser que Mme Alphonse a perdu la raison?

2. Selon vous, le procureur a-t-il raison de la considérer comme «folle», sans hésiter? Argumentez votre réponse. Pourquoi le fait-il?

3. Comparez l'emploi des pronoms personnels dans le texte de Mérimée et celui que recommande le texte de Tzvetan Todorov, p. 143-144. Qu'en pensez-vous?

Villiers de L'Isle-Adam, «Véra», 1874

Auguste Villiers de L'Isle-Adam est l'auteur des *Contes cruels*, recueil de nouvelles parmi lesquelles se trouve «Véra». Dans ce texte, le comte d'Athol perd sa chère épouse, avec laquelle il vivait un amour fusionnel. Désespéré, il décide de faire comme si Véra n'était pas morte. Il vit cloîtré chez lui, avec son domestique Raymond, et organise ses journées en cultivant l'illusion que sa femme est toujours vivante.

La gêne des premiers jours s'effaça vite. Raymond, d'abord avec stupeur, puis par une sorte de déférence[2] et de tendresse, s'était ingénié si bien à être naturel[3], que trois semaines ne s'étaient pas

---

1. *Se pendit à la sonnette* : tira violemment la corde de la sonnette.
2. *Déférence* : respect.
3. *S'était ingénié si bien à être naturel* : s'était donné du mal pour paraître naturel.

écoulées qu'il se sentit, par moments, presque dupe lui-même de sa bonne volonté. L'arrière-pensée pâlissait! Parfois, éprouvant une sorte de vertige, il eut besoin de se dire que la comtesse était positivement[1] défunte. Il se prenait à ce jeu funèbre et oubliait à chaque instant la réalité. Bientôt il lui fallut plus d'une réflexion pour se convaincre et se ressaisir. Il vit bien qu'il finirait par s'abandonner tout entier au magnétisme effrayant dont le comte pénétrait peu à peu l'atmosphère autour d'eux. Il avait peur, une peur indécise, douce.

D'Athol, en effet, vivait absolument dans l'inconscience de la mort de sa bien-aimée! Il ne pouvait que la trouver toujours présente, tant la forme de la jeune femme était mêlée à la sienne. Tantôt, sur un banc du jardin, les jours de soleil, il lisait, à haute voix, les poésies qu'elle aimait; tantôt, le soir, auprès du feu, les deux tasses de thé sur un guéridon, il causait avec l'*Illusion* souriante, assise, à ses yeux, sur l'autre fauteuil.

Les jours, les nuits, les semaines s'envolèrent. Ni l'un ni l'autre ne savait ce qu'ils accomplissaient. Et des phénomènes singuliers se passaient maintenant, où il devenait difficile de distinguer le point où l'imaginaire et le réel étaient identiques. Une présence flottait dans l'air : une forme s'efforçait de transparaître, de se tramer[2] sur l'espace devenu indéfinissable.

D'Athol vivait double, en illuminé. Un visage doux et pâle, entrevu comme l'éclair, entre deux clins d'yeux; un faible accord frappé au piano, tout à coup; un baiser qui lui fermait la bouche au moment où il allait parler, des affinités de pensées *féminines* qui s'éveillaient en lui en réponse à ce qu'il disait, un dédoublement de lui-même tel, qu'il sentait, comme en un brouillard fluide, le parfum vertigineusement doux de sa bien-aimée auprès de lui, et, la nuit, entre la veille et le sommeil, des paroles entendues très bas : tout l'avertissait. C'était une négation de la Mort élevée, enfin, à une puissance inconnue !

---

1. *Positivement* : réellement.
2. *Se tramer* : se dessiner.

Une fois, d'Athol la sentit et la vit si bien auprès de lui, qu'il la prit dans ses bras : mais ce mouvement la dissipa.

– Enfant ! murmura-t-il en souriant.

Et il se rendormit comme un amant boudé par sa maîtresse rieuse et ensommeillée.

Villiers de L'Isle-Adam, «Véra», *Véra et autres nouvelles fantastiques*, éd. Ph. Labaune, Flammarion, coll. «Étonnants Classiques», 2002, p. 29-30.

Questions

1. Le lecteur peut-il être amené à douter de la mort de Véra ? Selon vous, le comte est-il fou ou son épouse a-t-elle pu survivre d'une certaine manière ?

2. Relevez et commentez les passages du texte qui laissent supposer la folie du comte.

3. En quoi peut-on dire que le comte «vit double»? Ce comportement n'est-il pas une façon de sombrer dans une solitude menant à la folie ? Argumentez votre réponse.

Mirbeau, *Les Vingt et Un Jours d'un neurasthénique*[1], 1901

L'écrivain, pamphlétaire, journaliste et critique Octave Mirbeau rencontra un succès considérable au XIXᵉ siècle. Cultivant la provocation dans ses écrits, il dénonce avec ironie les travers de la société. *Les Vingt et Un Jours d'un neurasthénique*, aventures d'un dépressif en cure dans une ville d'eaux, tourne en dérision le traitement réservé par les spécialistes aux neurasthéniques et autres malades. Dans cet extrait, l'ami du neurasthénique, Clara Fistule, lui raconte l'une de ses entrevues avec un médecin.

———————————

1. *Neurasthénique* : dépressif.

«Donc, j'avais été envoyé à X... Le jour même de mon arrivée, je me rendis chez le docteur Fardeau-Fardat, à qui j'avais été spécialement recommandé... Un petit homme charmant, vif et gai, de parole exubérante, de gestes cocasses[1] et qui, néanmoins, donnait confiance.

Il m'accueillit avec une cordialité empressée et peu banale, et après m'avoir enveloppé des pieds à la tête d'un regard rapide :

"Ha ! ha ! fit-il... sang pauvre... poumons atteints ?... neurasthénique ?... alcoolique ?... syphilitique[2] ? Parfaitement... Voyons ça... voyons ça... Asseyez-vous..."

Et, durant qu'il cherchait je ne sais quoi parmi le désordre de son bureau, il interrogea, dans un petit rire sautillant, et sans me donner le temps de lui répondre :

"Hérédité déplorable ?... Famille de tuberculeux[3] ?... de syphilitiques ?... Paternelle ?... Maternelle ?... Marié ?... Célibataire ?... Les femmes, alors... les petites femmes ! Ah ! Paris !... Paris !..."

Ayant trouvé ce qu'il cherchait, il recommença de m'interroger longuement, avec plus de méthode, m'ausculta minutieusement, mesura ma poitrine avec des gestes de tailleur, éprouva au dynamomètre[4] ma force musculaire, nota, sur un petit carnet, mes réponses et mes observations ; puis brusquement, d'un air jovial :

"Avant tout... une question ?... En cas de mort, ici... vous feriez-vous embaumer[5] ?"

Je sursautai.

"Mais, docteur ?...

– Nous n'en sommes pas là, corrigea cet aimable praticien... Diable... mais enfin...

– Je croyais... dis-je, un peu effaré... je croyais qu'on ne mourait jamais, à X... ?

---

1. Cocasses : amusants.
2. Syphilitique : atteint de la syphilis, maladie sexuellement transmissible, qui peut causer des troubles psychiques.
3. Tuberculeux : atteint de la tuberculose, grave maladie infectieuse.
4. Dynamomètre : instrument qui sert à mesurer l'intensité des forces.
5. Embaumer : traiter un cadavre avec des substances pour le conserver.

– Sans doute... sans doute... En principe, on ne meurt pas ici... Mais enfin... un hasard... une malchance... une exception... vous admettrez bien une exception?... Vous avez quatre-vingt-dix-neuf chances sur cent de ne pas mourir ici... c'est entendu... Donc?...

– Donc... il est inutile de parler de cela, docteur...

– Pardon... fort utile, au contraire... pour le traitement... diable!

– Eh bien, docteur, si, par extraordinaire et pour cette fois seulement, je venais à mourir ici... non, je ne me ferais pas embaumer...

– Ah! ponctua le docteur... Vous avez tort... parce que nous avons un embaumeur étonnant... merveilleux... génial... Occasion unique, cher monsieur... Il prend très cher... mais c'est la perfection. Quand on est embaumé par lui... c'est à se croire encore vivant... Illusion absolue... à crier... Il embaume... il embaume!!!"

Et, comme je secouais toujours la tête pour exprimer un refus énergique :

"Vous ne voulez pas?... Soit... Ce n'est pas l'embaumement obligatoire, après tout..."

Sur la page du carnet où il avait consigné toutes les observations qui avaient trait à ma maladie, il inscrivit au crayon rouge et en grosses lettres : "Pas d'embaumement", puis il rédigea une interminable ordonnance qu'il me remit en me disant :

"Voilà... Traitement sérieux... J'irai vous voir tous les jours, et même deux fois par jour."

Et, me serrant chaleureusement les mains, il ajouta :

"Bast[1]!... au fond... vous avez bien fait... À demain..."

Je dois dire que, peu à peu, je pris goût à ses soins ingénieux et dévoués. Son originalité, sa gaieté inaltérable[2], spontanée et parfois un peu macabre, m'avaient conquis. Nous devînmes d'excellents et fidèles amis.

Six ans après, un soir qu'il dînait chez moi, il m'apprit que j'étais définitivement guéri avec une joie tendre qui me toucha jusqu'au fond du cœur...

---

1. *Bast!* : il suffit !
2. *Inaltérable* : indestructible.

"Et vous savez ?... me dit-il... vous êtes revenu de loin, mon cher... Ah ! sapristi !

– J'étais très, très malade, n'est-ce pas ?...

– Oui... mais ce n'est pas cela... Vous rappelez-vous quand j'insistai tellement pour que vous vous fissiez embaumer ?

– Certes...

– Eh bien, si vous aviez accepté, mon cher ami... vous étiez un homme mort...

– Allons donc !... Et pourquoi ?...

– Parce que..."

Il s'interrompit tout à coup... devint grave et soucieux durant quelques secondes... Et sa gaieté revenue :

"Parce que... les temps étaient durs alors... et il fallait vivre... En avons-nous embaumé de ces pauvres bougres... qui seraient, aujourd'hui... vivants comme vous et moi !... Qu'est-ce que vous voulez ?... La mort des uns... c'est la vie des autres..."

Et il alluma un cigare. »

Mirbeau, *Les Vingt et Un Jours d'un neurasthénique*, Éditions du Boucher, 2003, p. 48-50 [livre numérique].

Questions

1. Relevez tous les éléments surprenants dans l'entretien du médecin et du patient. Dans ce passage, l'attitude du docteur vous semble-t-elle conforme à sa profession ? En quoi manque-t-il de tact et de psychologie ?

2. Relevez les traits d'humour employés par Octave Mirbeau. À part susciter le rire, quelle fonction a le comique dans cet extrait ?

3. Que critique Octave Mirbeau dans ce texte ? Sa dénonciation est-elle toujours valable aujourd'hui ? Argumentez et illustrez votre réponse.

Histoire des arts

Magritte, *La Reproduction interdite*, 1937, cahier photos, p. 3

L'artiste belge René Magritte (1898-1967) est l'une des figures du surréalisme, mouvement artistique qui se propose de libérer l'art et d'explorer l'inconscient, le rêve et l'imaginaire par des jeux inédits sur les codes de la représentation. Dans *La Reproduction interdite*, avec une précision digne d'un peintre réaliste, Magritte représente un reflet problématique.

Observez attentivement *La Reproduction interdite* de René Magritte, puis répondez aux questions.

1. Qualifiez votre première impression à la vue de ce tableau. Expliquez-la et précisez pourquoi vous avez éprouvé tel ou tel sentiment.

2. Quelle anomalie physique relève-t-on sur cette toile ? À quel(s) élément(s) du tableau cette caractéristique s'applique-t-elle ?

3. Quel rapport existe-t-il entre cette œuvre et le fantastique tel que Maupassant le conçoit ?

4. Quel sens donner au fait que l'on ne voit pas le visage de cet homme ?

5. Dans le contexte de cette scène, qui peut être conduit à se demander « suis-je fou » ? Le personnage du tableau, le spectateur... ? Pourquoi ?

Éric Puech et Frédéric Bertocchini, *Le Horla*, Les Éditions du Quinquet, 2012, cahier photos, p. 8

Observez attentivement l'extrait de l'adaptation en bande dessinée du « Horla » par Éric Puech et Frédéric Bertocchini, puis répondez aux questions.

1. Quelle expression a le visage du personnage sur les trois vignettes? Quelle évolution remarquez-vous entre la première et la troisième image?
2. Comment le Horla est-il représenté?
3. Commentez le jeu de lumière.

Particularité element theorique

Cadre realiste 1.

Qqch étrange fait irruption 2.

Bouleversement du personnage 3.

Loi naturelle transgressée 4.

Enigme jamais re solue 5.

Personnage Soumis à des
forces qui le dépassent

Un mouvement de personnage qui va lui
arriver qqch surnaturel apres. 1.

Qqch , un avertissement qui va donner un
indice que qqch de grave la arriver 2.

Personnage dérangé par l'étrange 3.

Réaction à l'étrange. Etats d'âme devant la
menace importe souvent + que ses actions 4.

Personnage principal est la proie des forces
qui le dépasse. 5.

Écriture de l'inexplicable
Lecteurs doute de l'étrange
Phénomènes inquiétant est souvent
difficile à nommer
Minimum de mots pour un maximum
d'effet

Mise en page par Meta-systems
59100 Roubaix

N° d'édition : L.01EHRN000409.N001
Dépôt légal : août 2014
Imprimé en Espagne par Novoprint (Barcelone)

Paragraphe explicatif

reformulation
- Parce que
- ~~efet~~ en effet   Citation
- De plus
- Donc/Bref (+ bouche originale)

Source
(Maupassant, 2006, p. ?)

Cause bien expliquée (la mme après lu le livre)
Preuves reliées à l'explication fantastique; pas
de fin inattendue

COMMENTER LA NOUVELLE

One Bread

One Body

**A teaching document on the
Eucharist in the life of the Church,
and the establishment of general norms
on sacramental sharing**

Catholic Bishops' Conferences of
England & Wales
Ireland
Scotland

1998

Co-Published by the Catholic Truth Society, London,
and Veritas Publications, Dublin. 1998

Design by the Catholic Media Office, London

Printed in Great Britain by
Latimer Trend & Company Ltd, Plymouth

Catholic Truth Society: ISBN 1 86082 048 4
Veritas Publications: ISBN 1 85390 491 0

Contents

Foreword   5

Part 1: Introduction   7

Part 2: Our Catholic Faith   12

Christ our Saviour, source and centre of communion   12
The Church, sacrament of salvation   14
    The Church and the Sacraments
    The Catholic Church and other Christians:
    full and partial communion
The Eucharist   19
    The Eucharist and the Word of God
    The Eucharist as Memorial of Christ's sacrifice
    The Eucharist and the presence of Christ
    Holy communion and full communion
Reconciliation and the Anointing of the Sick   44

Part 3: Together yet divided   48

The pain of our brokenness   48
    Mixed marriages
    Separated and divorced Catholics at the Eucharist
Spiritual need: personal and ecclesial   55

Part 4: General Norms and Commentary   60

Introduction   60
Sacramental sharing with Christians from Eastern Churches   64
Sacramental sharing with other Christians   66
'May we all be one'   75

Index of Subjects   78

Foreword

Our three Bishops' Conferences of England and Wales, Ireland, and Scotland have produced this teaching document as a way of reaffirming the place of the Mass at the very centre of our Catholic life. We commend it to all Catholics in Britain and Ireland as a source of study and reflection. It will be of particular value to all those responsible for teaching about the Mass: priests and deacons; catechists; teachers in our Catholic schools; and parents, who have the first responsibility for educating their children in the faith of the Church. We hope it will help all Catholics to a greater understanding of the Mass, and of the Presence of Christ in the Blessed Sacrament.

We offer it also to our fellow Christians, with the hope that it will help to clarify what the Catholic Church believes about the Eucharist. At the end of this document we present our general norms on sacramental sharing between Catholics and other Christians in our countries. These can only be understood and appreciated in the light of the teaching on the Eucharist which is the main part of our document. We look forward to that day when all obstacles to full visible communion are overcome, and all Christians can celebrate the Eucharist together, sharing as 'one body' the 'one bread' of the Lord.

Basil Hume, Archbishop of Westminster
President of the Bishops' Conference of England & Wales

Seán Brady, Archbishop of Armagh
President of the Bishops' Conference of Ireland

Thomas Winning, Archbishop of Glasgow
President of the Bishops' Conference of Scotland

Part 1: Introduction

Because there is one bread,
we who are many are one body,
for we all partake of the one bread.[1]

1   As Catholic bishops, we have a special care for preserving and deepening the unity of the one body of Christ, his Church, a unity in love and in truth, in holiness and in mission. We are 'eager to maintain the unity of the Spirit in the bond of peace'.[2]   In this endeavour, our particular responsibility is to proclaim the Gospel, and to teach in the name of Christ and his Church. We seek to 'speak the truth in love' so that all may grow together into Christ who is the Head of the Body and the source of our unity.[3] In our longing for unity of faith and life among all Christians, faithfulness to the truth is our first duty and desire.

"speak the truth in love"

2   It is above all at the Eucharist that Christians become one in Christ, sharing together as 'one body' the 'one bread' of the Lord. An understanding of the Eucharist is essential, therefore, to the search for Christian unity. There can be no full unity among Christians that does not embrace unity in the Eucharist, and no full unity in the Eucharist without a shared understanding of all that the Eucharist contains and signifies. The primary purpose of our document is to present the teaching of the Catholic Church on the mystery of the Eucharist.

3   At the heart of the life of the Catholic Church has always been the celebration of the Eucharist, or the Mass as Catholics often call it.[4] Taking part in the Mass is the hallmark of the Catholic, central and crucial to our

"taking part in the Mass is the hallmark of the Catholic"

1 *1 Corinthians* 10.17 (all quotations from Scripture are taken from the Revised Standard Version, *Common Bible*, unless otherwise noted).
2 *Ephesians* 4.3.
3 *Ephesians* 4.15-16.
4 Cf. *Catechism of the Catholic Church*, nos. 1328, 1332.

Catholic identity. The first Christians devoted themselves to the teaching of the apostles, to their 'communion' with each other, and to prayer, and met together in their homes for 'the breaking of bread'.[5] Over the centuries, Catholics in many countries have risked their lives in order to celebrate Mass in times of persecution. Their courageous faith remains an inspiration and example to the Catholic community today. For Catholics now, as in the past, the Eucharist is the source and summit of the whole Christian life.[6] It is the vital centre of all that the Church is and does, because at its heart is the real presence of the crucified, risen and glorified Lord, continuing and making available his saving work among us. The Second Vatican Council reminded us: 'the most holy Eucharist holds within itself the whole spiritual treasure of the Church, namely Christ himself, our passover and our living bread'.[7]

"a mystery to be pondered and revered"

4 The Eucharist is a most precious gift of the Lord to his Church. It is a mystery to be pondered and revered. At the heart of this document is a presentation of the richness of Catholic teaching on the Eucharist. We offer it with confidence, for this mystery is indeed a life-giving truth, a 'pearl of great price'.[8] We urge Catholics in our countries to refresh and renew their belief in the Eucharist, their understanding of Catholic teaching, and their reverence for this great mystery of faith.

"we look forward to continuing dialogue"

5 As we offer this document, we take special account of the ecumenical situation in our countries. Catholics and other Christians live side by side, as communities of faith, praying and working together, and also as individuals, especially when united in marriage. Much progress has been made over the last thirty years in

5 *Acts of the Apostles* 2.42.
6 Second Vatican Council, *Dogmatic Constitution on the Church*, no. 11.
7 *Decree on the Ministry and Life of Priests*, no. 5 (unless otherwise noted, all quotations from the Second Vatican Council are from *Decrees of the Ecumenical Councils*, volume II, edited by Norman P. Tanner SJ, London and Georgetown, 1990).
8 *Matthew* 13.45.

particular along the path of mutual understanding, cooperation and commitment to one another, 'a path difficult but so full of joy.'[9] Official dialogues between the Catholic Church and other Christian communities have been very fruitful. There has been growing agreement about many aspects of the mystery of the Eucharist, and we are glad to make use of the results of these dialogues in our document. Because of this deepening relationship, Christians in Britain and Ireland increasingly have 'a burning desire to join in celebrating the one Eucharist of the Lord'.[10] This growing together in truth and in love is a blessing from God which can help Catholics themselves to understand their ancient and unchanging faith in a deeper way. We look forward to continuing dialogue, especially in response to the publication of this teaching document. We hope that it will provide an opportunity for further joint reflection, discussion and prayer.

6 Most Christians in our countries are now conscious of being 'not strangers but pilgrims', aware of our divisions and yet evermore committed to finding a way forward together. It is above all at the Eucharist that Christians feel most acutely the pain of their divisions. As bishops, we experience that situation ourselves. We are gladly and irrevocably committed to growing in unity with our fellow Christians until we reach full communion and can celebrate the Eucharist together in one visible Church of Christ.[11]

"not strangers but pilgrims"

7 Christians are one band of pilgrims, but continued disunity obscures God's invitation to all humanity to share his life, and makes the Gospel harder to proclaim.[12] There is much need for mutual forgiveness between Christians, re-examining together our past and 'the hurt

9 Pope John Paul II, Encyclical *Ut unum sint*, no. 2.
10 Pope John Paul II, Encyclical *Ut unum sint*, no. 45.
11 Cf. Pope John Paul II, Encyclical *Ut unum sint*, no. 3.
12 Cf. Anglican-Roman Catholic International Commission (ARCIC II), *Church as Communion*, no. 4.

that past regrettably continues to provoke even today.'[13] Persecution and sectarianism have never been one-sided, even within our own islands. For our part as Catholic bishops we repent of and ask forgiveness for any responsibility we have for the continued dividedness of Christ's disciples in our countries. We recognise our failures in love and compassion, in the search for truth and justice. We know our need of the continual reformation and purification required of the whole Church as we go on our pilgrim way.[14]

"to reaffirm and share our Catholic faith in the mystery of the Eucharist"

8   Our first purpose in presenting this document is to reaffirm and to share with others our Catholic faith in the mystery of the Eucharist. This faith embraces the making present of Christ's saving death and resurrection, the real presence of Christ in the Blessed Sacrament, and the inseparable bond between the mystery of the Eucharist and the mystery of the Church. Also closely linked with the Eucharist are the sacraments of Reconciliation and the Anointing of the Sick. Our second purpose, on the foundation of our Church's doctrinal principles and current discipline, is to establish the norms to govern sharing of these sacraments between Catholics and other Christians in our countries. The fundamental principles of our Catholic faith remain ever the same. Norms, however, can be developed and changed over time, on the basis of the Church's deepening understanding of that faith. In establishing these norms, we are responding to the recommendation in the *Directory for the Application of Principles and Norms on Ecumenism* (referred to from now on as the *Directory*), published in 1993 by the Pontifical Council for Promoting Christian Unity.

13 Pope John Paul II, Encyclical *Ut unum sint*, no. 2.
14 Second Vatican Council, *Decree on Ecumenism*, no. 6; *Dogmatic Constitution on the Church*, no. 8.

9   Each sacrament of the Church has its own special significance and grace. As bishops we are responsible for preserving their full integrity. We offer this document with that duty very much in mind. We do so in obedience to God's Word, and with a keen desire to safeguard the integrity of the Eucharist in particular. It is of special concern to us that when someone receives a sacrament he or she knows and desires what the Church means by that sacrament. It is right to expect that anyone who receives Holy Communion in the Catholic Church should manifest Catholic faith in the Eucharist. This document presents the most important points of that faith. Our special focus is the intimate connection between the mystery of the Church and the mystery of the Eucharist. We pray that it will help to deepen mutual understanding on this matter which is so often a source of difficulty in our ecumenical journey together. Our document is intended as a resource. Other presentations of its doctrinal content may well flow from it. We recommend that our readers refer to the sections on the sacraments of the Eucharist, Reconciliation and Anointing of the Sick in the *Catechism of the Catholic Church*, nos. 1322-1532, as a starting point for further study and reflection.

Part 2: Our Catholic Faith

10 No individual thread of Catholic doctrine can be fully understood in isolation from the total tapestry. Catholic faith in the Eucharist and Catholic faith in the Church are two essential dimensions of one and the same Mystery of Faith, rooted first and foremost in the awesome mystery of God in his saving love, reconciling the world to himself in Jesus Christ.[15]

Christ our Saviour
Source and Centre of Communion

11 'God so loved the world that he gave his only Son, that whoever believes in him should not perish but have eternal life. For God sent the Son into the world, not to condemn the world, but that the world might be saved through him.'[16] As Christians we are united in our faith that Jesus Christ is Lord and Saviour. What do we mean by 'salvation'? There is no simple answer to this question. Christians through the centuries have used a rich variety of ideas rooted in the New Testament. One idea, however, remains central. We are saved not as private or isolated individuals, but as a people, as a community, as a family. Salvation is, of course, a deeply personal gift from God: we are each called by name and are asked to respond in faith. Yet, 'it has pleased God ... to sanctify and save men and women not individually and without regard for what binds them together, but to set them up as a people who would acknowledge him in truth and serve him in holiness.'[17] To believe in God is to enter the 'we' of the family of God.

---

15 *2 Corinthians* 5.19.
16 *John* 3.16.
17 Second Vatican Council, *Dogmatic Constitution on the Church*, no. 9; cf. Pope John Paul II, Apostolic letter *Dies Domini*, no. 31.

12   The mystery of salvation is a mystery of *communion*. This idea of 'communion' (*koinonia* in Greek, *communio* in Latin) lies at the very heart of our Christian faith. We are accustomed to using the word 'communion' first and foremost of the sacrament of the Body and Blood of Christ. This 'Holy Communion' with Our Lord, either at Mass or afterwards when the sacrament is brought to the sick and housebound, has as its aim our ever-deeper communion with one another in the family of Christ's Church, and above all with the communion of the Holy Trinity, the intimate union of God the Father and God the Son in the unity of the Spirit of Love. It is this which will make our joy complete,[18] a joy rooted in the Good News that 'God is love'.[19]

"the mystery of salvation is a mystery of communion"

13   We are called to be the communion of saints, gathered together and made holy by the Lord who wills us to be truly 'at-one' with him. The literal and original meaning of 'atonement' is 'at-one-ment'. God sent his Son 'to gather together in unity the scattered children of God',[20] seeking 'to unite all things in him, things in heaven and things on earth,'[21] and 'making peace by the blood of his cross.'[22]   Christ is in person the peace between us. He makes us one, breaking down the barriers not only between Jew and Gentile, but between all people, so that we might be reconciled to God in one body.[23]   God wills 'to draw humanity into communion with himself and with one another, so as to share his life, the life of the Holy Trinity.'[24]   This communion will be complete only in the final fullness of the Kingdom of God, but it is already visibly present here and now in the Body of Christ, his Church.

18 *1 John* 1.4; cf. *John* 15.11, 17.13.
19 *1 John* 4.8.
20 *John* 11.52 (*Jerusalem Bible*).
21 *Ephesians* 1.10.
22 *Colossians* 1.20.
23 *Ephesians* 2.14-16.
24 Second Anglican-Roman Catholic International Commission (ARCIC II), *Salvation and the Church*, nos. 1 & 29.

"to be one as the Father and the Son are one"

14   It is above all through the sacraments of Baptism (and later, Confirmation) and the Eucharist that we enter into this deep communion of life and mission with our crucified and risen Saviour.   Through Baptism we are made one with Christ by the power of God's Holy Spirit, dying with Christ to our old selves and rising to new life in him as sons and daughters of the Father, sisters and brothers of each other.   Sharing in common the life of God who gives himself to us in love, we are able to be one as the Father and the Son are one.[25]   The continual prayer of the Risen Lord in his Church is 'that they may be one, even as we are one.'[26]   This is our prayer also, as servants of the communion of the Church.

The Church, Sacrament of Salvation

The Church and the Sacraments

"his invisible presence is made visible and tangible for us"

15   The Risen Lord has promised to be with us always, to the end of time.[27]   How can we be in touch today with Jesus Christ, who no longer walks the earth in the same way as he once did?   We believe that his invisible presence is made visible and tangible for us through special 'sacramental' signs. A sacrament is far more than simply a signpost pointing towards something greater elsewhere. Each sacrament is an effective sign which makes present what it signifies. Sacraments are 'specific ways in which, by the power of the Holy Spirit, the Risen Jesus makes his saving presence and action effective in our midst.'[28]   Because the Lord is present and at work in them, sacraments 'bring into our lives the life-giving action and even the self-giving of Christ himself.'[29]   Through sacramental signs, instituted by Christ himself, we are put 'in touch' with the saving mystery of Christ

---

25 *John* 17.22-23.
26 *John* 17.11; cf. 17.21, 22.
27 *Matthew* 28.20.
28 Joint Commission for Dialogue between the Roman Catholic Church and the World Methodist Council, *The Word of Life*, 1996, no. 98.
29 Cf. Joint Commission for Dialogue between the Roman Catholic Church and the World Methodist Council, *Towards a Statement on the Church*, 1986, no. 16.

here and now. The more we respond in faith to his presence, the more a sacrament becomes a truly life-giving encounter with Jesus himself. This understanding of 'sacrament' - the invisible presence and action of the Risen Lord made powerfully present through visible signs - lies at the heart of our Catholic faith.

16   As Catholics, we are long accustomed to thinking of the seven sacraments, above all Baptism and the Eucharist. But the word 'sacrament' is also used of the Church itself. The Second Vatican Council referred to the Church as the 'universal sacrament of salvation'.[30]   In Christ, the Church is 'as a sacrament or instrumental sign of intimate union with God and of the unity of all humanity'.[31]   This teaching shows how intimately interwoven are the Church's nature and its mission. By the power of his Spirit, Christ continues to draw people together into spiritual communion with himself and with each other. This communion is made visible and tangible in a community of faith and of love, the Church. The Church is the visible unfolding here and now of God's gift of salvation, our sharing together in the eternal communion of God's life of love. Through the Church's proclamation of the Good News, its witness and its sacramental life, God reaches out to touch the lives of all and to gather them together as one in himself.   The Church as a community must be an effective proclamation of the Gospel, 'the living Gospel for all to hear.'[32]

"universal sacrament of salvation"

17 Each   of   the   seven   sacraments (Baptism, Confirmation, Eucharist, Reconciliation, Anointing of the Sick, Marriage and Holy Orders) can be fully understood only within the setting of the visible community of the Church. The Church is the company of those who have been given the gift of faith, a faith by which they respond in a deeply personal way to the call of Christ and follow him as his disciples. By the power

"acts of the Risen Christ in the Spirit, given in and through his Church"

30 Second Vatican Council, *Dogmatic Constitution on the Church*, no. 48.
31 Second Vatican Council, *Dogmatic Constitution on the Church*, no. 1.
32 Cf. *Roman Missal*, Preface of the Apostles II.

of the Holy Spirit, they are intimately united to Christ as a body to its head, above all through the sacraments of the Church. All the sacraments are acts of the Risen Christ in the Spirit, given in and through his Church.

"receiving Holy Communion is the climax of the process of initiation begun by Baptism"

18   Baptism is 'the gateway to life in the Spirit, and the door which gives access to the other sacraments.'[33] It is a point of departure, a sacred beginning to membership of the Pilgrim Church. It is directed towards 'acquiring of fullness of life in Christ', 'a complete profession of faith' within the visible unity of the Church, and finally 'a complete participation in Eucharistic communion.'[34] Our desire to share fully in the Eucharist is very much a fruit of the grace of our baptism. Receiving Holy Communion is the climax of the process of initiation begun by Baptism.

"the Church is most fully and visibly itself when it gathers for the Eucharist"

19   The Church is most fully and visibly itself when it gathers for the Eucharist. There the Church expresses what it already is by God's gift, and what it must more truly become - a community of faith and love, one in Christ, holy by the power of the Spirit, catholic in the integrity of its faith and the universal scope of its outreach, apostolic in its living continuity with the faith and mission of the apostles and the Church throughout the ages.   This communion with the Church across continents and centuries is a communion in the Spirit, but 'made flesh' in a visible way, above all in the Eucharist and through the bishops and priests who preside at the Eucharist. This teaching is central to the Catholic understanding of the Church. The intimate link between the Church and its celebration of the Eucharist will be an essential point to remember when it comes to thinking about the meaning of receiving Holy Communion.

33 *Catechism of the Catholic Church*, no. 1213.
34 Second Vatican Council, *Decree on Ecumenism*, no. 22 (as translated in *The Documents of Vatican II*, edited by Walter M. Abbott SJ, London and Dublin, 1966).

The Catholic Church and other Christians:
full and partial communion

20 Christ's Church is a communion, a community whose members share or hold in common the divine life and the mystery of salvation: 'one Lord, one faith, one baptism'.[35] The Catholic Church claims, in all humility, to be endowed with all the gifts with which God wishes to endow his Church,[36] all the invisible and visible elements needed by the Body of Christ for its life of discipleship and mission. This is what we mean by our firm conviction that the one Church of Christ 'subsists in the Catholic Church',[37] that the fullness of the means of salvation, the entirety of revealed truth, the sacraments and the hierarchical ministry are found within the Catholic communion of the Church.[38] These means of grace are there to serve our communion with each other in Christ, to keep us open and listening to one another in the Spirit of Truth, and to bring us into conformity with the Father's will. Christians are in 'full communion' with the Catholic Church when they hold in common *all* the gifts of grace with which Christ has endowed his Church.

"the one Church of Christ subsists in the Catholic Church"

21 Our belief that the Catholic Church is uniquely gifted in this way does not imply that Catholic people and their ordained ministers are perfect in the life of the Spirit. As Catholics we should be very conscious of our failings over the centuries. We have much of which to repent, and we know very well that we have not made and do not make full use of the many means of grace entrusted to the Church by our Lord. We can often be put to shame by the holiness, love and missionary zeal of our fellow Christians. The fullness of communion which we claim is not only a gift, but also a challenge to the Catholic Church from the Lord: to become more fully and truly in its life and work what it already is by God's free

"a gift and a challenge"

---

35 *Ephesians* 4.5.
36 Cf. Pope John Paul II, Encyclical *Ut unum sint*, no. 11.
37 Second Vatican Council, *Dogmatic Constitution on the Church*, no. 8; cf. no. 14.
38 Cf. *Directory for the Application of Principles and Norms on Ecumenism* (1993), no. 17.

gift of grace. This claim still means, however, that the one, holy, catholic and apostolic Church of Christ is to be found in its fullness, though imperfectly, in the visible Catholic Church as it is here and now.[39]

"although wounded, our communion with each other has never been destroyed"

22   The Catholic Church rejoices in the many elements of holiness and truth to be found in other Christian communities: 'the written word of God; the life of grace; faith, hope and charity, with the other interior gifts of the Holy Spirit, and visible elements too.'[40]   All of these properly belong to the one Church of Christ: 'To the extent that these elements are found in other Christian communities, the one Church of Christ is effectively present in them.'[41]   Our common baptism is the sacramental bond of unity between us,[42] and Catholics readily recognise the real though partial communion existing between all the baptised. Although wounded, our communion with each other has never been destroyed. 'Many bonds still unite us: we confess the same faith in the one true God; we have received the same Spirit; we have been baptised with the same baptism; and we preach the same Christ.'[43]   Other Christians do not share everything in common with us, and so are not in full communion with the Catholic Church, but we understand all people who believe in the Lord and have been properly baptised as being 'in some kind of communion with the Catholic Church, although this communion is imperfect.'[44]   There are varying degrees of communion, depending on how much Christians share together in the mystery of salvation and the means of grace. The more that is shared, the more people are in communion with one another.   Some Christian communities share more with us than others, and so are in closer unity with the Catholic Church.

39 Cf. Pope John Paul II, Encyclical *Ut unum sint*, no. 14.
40 Second Vatican Council, *Decree on Ecumenism*, no. 3.
41 Pope John Paul II, Encyclical *Ut unum sint*, no. 11.
42 Second Vatican Council, *Decree on Ecumenism*, no. 22.
43 Introduction to the *Final Report* of the Anglican-Roman Catholic International Commission (ARCIC I), no. 1.
44 Second Vatican Council, *Decree on Ecumenism*, no. 3.

Christ's gifts to his Church already shared by our fellow Christians 'impel towards catholic unity.'[45] Catholics believe that full unity among Christians 'will come about when all share in the fullness of the means of salvation entrusted by Christ to his Church.'[46] Such unity will be achieved only 'under the inspiring grace of the Holy Spirit.'[47] Here is the challenge to all Christians as we try to live more faithfully our baptismal calling: 'Baptismal communion tends towards full ecclesial communion. To live our Baptism is to be caught up in Christ's mission of making all things one.'[48]

The Eucharist

The Eucharist and the Word of God

23   Christian faith is centred on the person of God's living Word, made flesh and present among us.[49] 'Through all the words of Sacred Scripture, God speaks only one single Word, his one Utterance in whom he expresses himself completely.'[50] As Christians we find our nourishment and strength in the Scriptures precisely because God speaks to us now through them. Word and Sacrament are a seamless robe. Scripture and Eucharist are intimately interwoven in the life of the Church: '... the Church has always venerated the Scriptures as she venerates the Lord's Body. She never ceases to present to the faithful the bread of life, taken from the one table of God's Word and Christ's Body.'[51] This nourishing with God's Word takes place in a special way at Mass. The Eucharist is where the Scriptures are most at home and where they speak most powerfully to us. In the early Church, it was those books which were read at the

"the one table of God's Word and Christ's Body"

---

45 Second Vatican Council, *Dogmatic Constitution on the Church*, no. 8.
46 Pope John Paul II, Encyclical *Ut unum sint*, no. 86.
47 Second Vatican Council, *Decree on Ecumenism*, no. 4.
48 *Directory for the Application of Principles and Norms on Ecumenism*, no. 22.
49 *Catechism of the Catholic Church*, no. 108.
50 *Catechism of the Catholic Church*, no. 102.
51 *Catechism of the Catholic Church*, no. 103; cf. Second Vatican Council, *Dogmatic Constitution on Divine Revelation*, no. 21.

Eucharist which became accepted as the 'Canon' of Scripture. Today those same Scriptures keep us in living communion with the witness of the Apostles. It is in hearing God's Word that the Church is built up and grows. The Catholic Church finds the roots of its teaching on the Eucharist in the Scriptures, always read within the living Tradition of the whole Church.[52]

"unity with God and unity with each other belong together"

24   The meaning of the Eucharist is rooted in the faith of the people of the Old Testament, especially in the doctrine of 'covenant'. The covenant was a treaty or alliance between two parties, used in the Scriptures of the special relationship which God established with his people, Israel. There were close links in Jewish thought between 'covenant', 'sacrifice' and 'communion meal'. In the Book of Exodus (24.1-11), God's new relationship (covenant) with his chosen people is sealed with the pouring of blood (sacrifice) and the eating together of some of the sacrificial food (communion). Moses said of the blood, 'Behold the blood of the covenant which the Lord has made with you'.[53] The blood was sprinkled upon both the altar (symbolising God) and the people, a powerful expression of the unity of life which God establishes between himself and Israel. By eating the sacrificial food together, the people were made one as they shared the blessings of God. The fundamental Covenant which spans the Old Testament and the New Testament remains the same: 'I will be their God and they shall be my People.'[54] Unity with God and unity with each other belong together. Only those ready to enter fully into God's covenant could share together in the communion sacrifice.   To participate in the 'communion' is to commit oneself to God and to the people he makes his own.

---

52 *Catechism of the Catholic Church*, no. 113.
53 *Exodus* 24:8.
54 *Jeremiah* 31.33; cf. Pope John Paul II, Apostolic letter *Dies Domini*, no. 41.

25   Through the prophets, God promised his people a 'covenant of peace', writing his law on their hearts.[55] Our Christian faith is that Jesus Christ is the Mediator of this new covenant.[56]   At the Last Supper, Jesus echoed the words of Moses: 'This is my blood of the covenant',[57] or 'This cup is the new covenant in my blood which will be poured out for you.'[58]   By sharing together the cup of blessing, the cup of eternal salvation, we enter together into this new covenant established by the pouring out of his blood upon the cross. Jesus is the Anointed One, the 'Messiah' or 'Christ', who provides us with the new manna, the bread of life, the sacrificial gift of his own body and blood.

"the new covenant in my blood"

26   The Synoptic Gospels (*Matthew*, *Mark* and *Luke*) and St Paul understood the Last Supper as Jesus celebrating the Passover with his disciples. John's Gospel preserved the Passover theme by setting the death of Jesus at the moment the Passover lambs were being slain in the Temple.   Jesus' death is that of *the* Passover Lamb, the Suffering Servant of God, led like a lamb to the slaughter.[59]   Jesus is the Lamb of God who takes away the sins of the world, the one whose life given for us and poured out for us brings healing and peace.   By our communion together in the body and blood of Christ, we are drawn deeper into the community of the new covenant, ever more committed to God and to each other in Christ.   By taking part in the Eucharist, we are united with the living Christ in his work of reconciliation.[60]

The Eucharist as Memorial of Christ's sacrifice

27   'Amen' is a word we use often in our prayer and worship. Although sometimes translated simply as 'So be it!' or 'Yes', it comes from a Hebrew root which implies firmness and sureness.   When we say 'Amen' at various

"saying 'I believe' as a sharing in the 'we believe' of the Church"

55 Cf. *Isaiah* 55.3, 59.21, 61.8; *Jeremiah* 31.31-34, 32.40; *Ezekiel* 37.26.
56 *Hebrews* 12.24.
57 *Matthew* 26.28.
58 *Luke* 22.20 (*Jerusalem Bible*).
59 Cf. *Isaiah* 53.7.
60 Cf. *2 Corinthians* 5.18-20.

times during the Mass - above all our 'Great Amen' at the end of the Eucharistic Prayer - we proclaim that we believe what has been said, that we unite ourselves to the prayer and that we are committed to all that it means. It involves a personal affirmation, saying 'I believe' as a sharing in the 'we believe' of the Church community gathered for worship.

28 When we receive Holy Communion, and hear the words 'The body of Christ', 'The blood of Christ', our response of faith is 'Amen' to the One who is offering and giving himself to us. This 'Amen' is, of course, an affirmation of the real presence of the Body and Blood of the Lord, but it is more than that. It is at one with the 'Great Amen', and we cannot properly separate the two. Above all, we confess our readiness to enter into all that Christ has achieved for us by his death and resurrection, the gift of salvation made present for us here and now as we celebrate Mass together.

"the celebration of the Eucharist makes sacramentally present the whole mystery of salvation"

29 It is here that we come to the heart of our Catholic understanding of the Mass: the celebration of the Eucharist makes sacramentally present the whole mystery of salvation. The Mass is the sacrament of salvation, the memorial of the sacrificial death and resurrection of Jesus Christ. We say 'Amen' to this truth of faith when we receive Holy Communion.

"we believe that this once-for-all event of salvation becomes effectively present for us through the power of the Holy Spirit every time the Mass is celebrated"

30 We rejoice that we share this understanding with many of our fellow Christians, but it is still a point of division for others. Since the Reformation, many Christians in the West have rejected Catholic teaching on the Eucharist as 'sacrifice' because they believed it denied the unique saving work of Jesus Christ, a free gift of grace to be accepted by faith. Ecumenical dialogue should have made it clear to our fellow Christians that Catholics also are firmly committed to belief in Christ's 'one, perfect and sufficient sacrifice for the sins of the world'; that 'Christ's redeeming death and resurrection took place once for all in history', and that there 'can be no repetition of or addition to what was then accomplished once for all by Christ.'[61] Yet we believe that this once-for-all event of salvation becomes *effectively* present for us through the power of the Holy Spirit every time the Mass is celebrated: 'The Eucharist is the heart and summit of the Church's life, for in it Christ associates his Church and all her members with his sacrifice of praise and thanksgiving offered once for all upon the cross to his Father.'[62]

31 This 'sacrificial' understanding of the Eucharist needs renewed emphasis even among Catholics. In some Catholic circles there can appear to be a confusion between the celebration of Mass on the one hand, and a Communion Service or 'Celebration of the Word and Communion' on the other. The Eucharist or Mass is much more than a service in which we are led in prayer, hear the Word of God and receive Holy Communion. There are certainly proper occasions for Communion Services, above all the Commemoration of the Lord's Passion on Good Friday. When no priest is available, Catholics cannot celebrate Mass. Instead, they are sometimes invited to reflect on the word of God and to pray together, and then to share Christ's body and blood consecrated at a previous Eucharist.[63] This is not the same as the Mass, however. No Communion Service can substitute for the celebration of the Eucharist, the Holy Sacrifice of the Mass.

"this 'sacrificial' understanding of the Eucharist needs renewed emphasis"

61 Anglican-Roman Catholic International Commission (ARCIC I), *Eucharistic Doctrine*, no. 5; cf. Joint Commission for Dialogue between the Roman Catholic Church and the World Methodist Council, *Growth in Understanding* (1976), no. 66.
62 *Catechism of the Catholic Church*, no. 1407; cf. Pope John Paul II, Apostolic letter *Dies Domini*, no. 43.
63 Cf. leader's introduction to a *Celebration of the Word and Communion*, approved for interim use from Advent 1996 by the Bishops' Conference of England and Wales; cf. Pope John Paul II, Apostolic letter *Dies Domini*, no. 53.

"do this as a memorial of me"

32   At the Last Supper, Jesus said to his apostles, 'Do this as a memorial of me.'[64]   Our use of the language of 'memorial' is rooted in the Last Supper, when 'Jesus gave the Passover Meal its definitive meaning.'[65]   It was used by the ancient Fathers of the Church, by the great medieval theologians, and by the Council of Trent, as a way of expressing the relation between the once-for-all sacrifice of Christ and our celebration now of the Eucharist.[66]   'Memorial' is a word that lies at the heart of the Eucharistic Prayers of East and West.

"a memorial of his own passion and resurrection"

33   What do we mean by a 'memorial'? At the Passover meal each year, the Jews celebrate a memorial of the Exodus. At the Last Supper, Christ gave the Passover celebration its full meaning. In doing so he entrusted to us a memorial of his own passion and resurrection. A biblical memorial is far more than simply calling to mind past events and their significance: in the liturgical celebration of these events, they become present and real.[67] A memorial means at very least 'the making effective in the present of an event in the past.'[68] Catholic use of the word 'memorial' in the Eucharist involves *making effectively present here and now* an event in the past.   A memorial is a sacred gateway into living communion with God in his work for our salvation. By the power of the Holy Spirit, 'the Church's living memory',[69] the saving events of the death and resurrection of Jesus Christ are recalled and made powerfully present for us.[70] Their saving power touches our lives today, and through us can touch and transform the lives of all. Very much anchored in the present, we are united across time with the past, and indeed with the future, by the eternal Spirit of God, who is the same

64 *1 Corinthians* 11.24-25; *Luke* 22.19.
65 *Catechism of the Catholic Church*, no. 1340; cf. no. 1334.
66 Cf. Anglican-Roman Catholic International Commission (ARCIC I), *Elucidation* (1979), no. 5.
67 Cf. *Catechism of the Catholic Church*, no. 1363.
68 Anglican-Roman Catholic International Commission (ARCIC I), *Eucharistic Doctrine*, no. 5.
69 *Catechism of the Catholic Church*, no. 1099.
70 Cf. *Catechism of the Catholic Church*, no. 1104.

yesterday, today and tomorrow. The prayer *O Sacrum Convivium*, attributed to St Thomas Aquinas, acclaims this mystery of the Eucharist: 'O sacred banquet in which Christ is our food, his passion is recalled, the soul is filled with grace, and a pledge of the life to come is given to us.'

34   In the Eucharist, Christ's gift of his life to his Father for our salvation is made present, so that we may be united with him in his sacrifice and be accepted in him by the Father: 'In the celebration of the memorial, Christ in the Holy Spirit unites his people with himself in a sacramental way so that the Church enters into the movement of his self-offering.'[71] The Mass is the ultimate act of worship. By our communion with the Risen Christ, we become one with him in his giving of himself to the Father. Our lives are at-one with his as he commends his spirit to the Father. United with Christ, we lift up our hearts to the Father and give him thanks and praise. 'Through him, with him and in him, in the unity of the Holy Spirit', the Church becomes 'an everlasting gift' to the Father,[72] 'a living sacrifice of praise.'[73] We give to God all that he first gave to us, all that we are and have, uniting ourselves with the self-giving of Jesus himself. Our sharing in the Eucharist should make us a sacrificial people, lifting up and laying down our lives in love for God and for one another, and sharing all that we have and are with those in need.

"a living sacrifice of praise"

35   Because of the Church's intimate communion with Christ, as a body to its head, the Eucharistic sacrifice is offered to the Father by the 'whole Christ', head and members together.   'In the Eucharist the sacrifice of

71 Anglican-Roman Catholic International Commission (ARCIC I), *Elucidation* (1979), no. 5; cf. ARCIC's *Clarifications on Eucharist and Ministry* (1994): 'In the celebration of the eucharistic memorial, the self-offering of Christ is made present. The community, gathered around the ordained minister who presides in Christ's name, enters into communion with this self-offering.'
72 Eucharistic Prayer III.
73 Eucharistic Prayer IV.

Christ becomes also the sacrifice of the members of his Body. The lives of the faithful, their praise, sufferings, prayer and work, are united with those of Christ and with his total offering, and so acquire a new value.'[74] Because Christ's one sacrifice is present in the Eucharist, 'all generations of Christians can be united with his offering.'[75]

"the sacrifice of Christ and the Eucharistic sacrifice are one single sacrifice"

36 In the Eucharist, the Church powerfully and effectively 'proclaims the death of the Lord until he comes.'[76] The sacrifice of Christ and the Eucharistic sacrifice are one single sacrifice. This means that through the Eucharist Christ's saving power reaches not only those gathered in celebration, but also all those in communion with us in any way, both the living and the dead. We offer the Eucharistic sacrifice 'for ourselves and those who are dear to us' and for 'those who have died and have gone before us marked with the sign of faith'.[77] We ask our Father: remember and welcome not only our Christian brothers and sisters who have died, but also 'all the departed',[78] 'all who have left this world in your friendship,[79] 'all the dead whose faith is known to you alone.'[80] We pray that Christ's sacrifice, which has made our peace with the Father, may 'advance the peace and salvation of all the world.'[81] We include among those who take part in our offering not only those present and all God's people, but also all who seek him with a sincere heart.[82] We should come to Mass with all humanity and all creation in our heart, so that the joy of salvation may reach through our celebration to all the world.

---

74 *Catechism of the Catholic Church*, no. 1368.
75 *Catechism of the Catholic Church*, no. 1368.
76 *1 Corinthians* 11.26.
77 Eucharistic Prayer I.
78 Eucharistic Prayer II.
79 Eucharistic Prayer III.
80 Eucharistic Prayer IV.
81 Eucharistic Prayer III.
82 Eucharistic Prayer IV.

37 When we come forward together in procession to receive Holy Communion at Mass, we do so as a pilgrim people seeking to enter into Christ's offering of himself to the Father. The 'bread of life' we share is Christ's Body given for us; the 'cup of salvation' we drink is Christ's blood poured out for us. It is Christ giving, offering, sacrificing himself whom we receive. Receiving Holy Communion can never be separated, therefore, from the whole meaning of the Eucharist as the sacrament or memorial of Christ's sacrifice, the making present of his death and resurrection here and now for our salvation. The table of the Lord is the altar of his sacrifice.[83]

"the table of the Lord is the altar of his sacrifice"

38 The sacrificial nature of the Mass was solemnly proclaimed by the Council of Trent and reaffirmed by the Second Vatican Council. It continues to be carefully presented in the revised Order of Mass promulgated by Pope Paul VI in 1969 (the *Missa Normativa*), and especially in the Eucharistic Prayers of the *Roman Missal*. Although there have been changes in its celebration through the centuries, the Mass remains the same, from the 'breaking of bread' of the first Christians and the Eucharist described by St Justin Martyr in the second century, to the Mass celebrated after the Council of Trent and the same Mass celebrated today using the missal of Pope Paul.

39 The people of God are the worshipping community which offers the sacrifice of Christ to the Father. The Eucharist is the action of the whole Church, and this should be expressed in the way we celebrate together. Today's *Roman Missal* bears witness to the ancient and unbroken tradition of the Catholic Church. It complements and enriches the liturgical norms of the Council of Trent. Above all, it seeks to draw Christ's priestly people more deeply into the celebration of the Eucharistic sacrifice through their 'conscious, active and fruitful participation', so that they may grow in holiness.[84]

"the Eucharist is the action of the whole Church"

83 Cf. *Catechism of the Catholic Church*, no. 1182, 1383.
84 *General Instruction on the Roman Missal*, no. 5.

40   The Risen Lord in person calls together his Church and presides invisibly over the Eucharist as our Head and great High Priest.[85]   It is our Catholic faith that Christ presides in and through the visible ministry of a bishop or priest. In the midst of God's priestly people, the bishop or priest is the living sacramental sign and instrument of Christ as our Head and Shepherd, our Teacher and High Priest.[86]   The Anglican-Roman Catholic International Commission's *Clarifications* state that 'the one who presides is thus the minister of the sacramental self-offering of Christ.'[87]   Because the Eucharist is the memorial of Christ's sacrifice, the action of the presiding minister 'stands in a sacramental relation to what   Christ himself did in offering his own sacrifice.'[88]   The priest 'offers sacramentally the redemptive sacrifice of Christ.'[89]

41   It is Catholic teaching that 'only a validly ordained priest can be the minister who, in the person of Christ, brings into being the sacrament of the Eucharist.'[90]   It is therefore essential that the one who presides at the Eucharist be known to be established in a sure sacramental relationship with Christ, the High Priest, through the sacrament of Holy Orders conferred by a bishop in the recognised apostolic succession. The Catholic Church is unable to affirm this of those Christian communities rooted in the Reformation. Nor can we affirm that they have retained 'the authentic and full reality of the Eucharistic mystery'.[91]   This is why reciprocity in sacramental sharing is not possible with

---

85 Cf. Report of the Anglican-Methodist International Commission, *Sharing in the Apostolic Communion* (1996), no. 90: 'the Risen Christ is the true president at each celebration of the Eucharist ...'
86 Cf. Second Vatican Council, *Decree on the Ministry and Life of Priests*, no. 12.
87 *Clarifications on Eucharist and Ministry* (1996).
88 Anglican-Roman Catholic International Commission, *Ministry and Ordination* (1973), no. 13.
89 *Response of the Holy See to the Final Report of the Anglican-Roman Catholic International Commission* (1982).
90 *Response of the Holy See to the Final Report of the Anglican-Roman Catholic International Commission* (1982).
91 Second Vatican Council, *Decree on Ecumenism*, no. 22; cf. no. 3.

these communities, whereas the same difficulty does not arise with the Eastern Churches [see later, nos. 103, 117]. It is also why the reconciliation of ministries is so essential to the full reconciliation and visible unity of Christians. Lack of validity in the sacrament of Holy Orders does not mean, however, that the ordained ministry and Eucharistic celebrations of these communities are not used by the Spirit of Christ to draw God's people into the mystery of salvation. Catholics may, on occasion, properly attend and join in the prayer of such celebrations and find in them a source of inspiration and encouragement.

42 Each of us worships at Mass according to our degree of communion with the Catholic Church. There are many different ways to take part in the Mass, and different ways of benefiting from that participation. There can be celebration of the Eucharist which truly gives grace even when it is not possible to have the full sharing that comes through receiving Holy Communion. This is an important point. At nearly every Catholic celebration of Mass there are people in differing degrees of spiritual and visible communion with the community gathered there. A typical congregation includes mainly Catholics who are able to receive Holy Communion and so participate fully in the Eucharist. There are plenty of other people, however, who are warmly welcome and who know they are taking part in a real way even though they may not receive Communion. There are unbaptised people being prepared to be initiated into the Church, as well as baptised Christians on the way towards Reception into Full Communion with the Catholic Church. There are Catholics who are in new relationships established after one or both partners have suffered the trauma of breakdown in their marriages, and who are unable therefore to participate fully in the Eucharist they celebrate. Some Catholics present may be in irregular marriage relationships and for that reason may not go to communion. Other Catholics, humbly conscious of

"there can be celebration of the Eucharist which truly gives grace even when it is not possible to have the full sharing that comes through receiving Holy Communion"

serious sin, are there knowing they need the sacrament of Reconciliation before coming forward to Communion. There are young children who are not yet ready to receive their first Holy Communion. Also taking part are fellow Christians who are present to worship God and join in the prayer of the Church, either alone or with their loved ones, but who do not feel ready or willing to come into full communion with the Catholic Church: perhaps they come to Mass able to say 'I believe', but not able fully to share the 'We believe' of the Catholic community.

43 Even though some may not receive *sacramental* communion, all are united in some way by the Holy Spirit. The traditional idea of *spiritual* communion is an important one to remember and reaffirm. The invitation often given at Mass to those who may not receive sacramental communion - for example, children before their First Communion and adults who are not Catholics - to receive a 'blessing' at the moment of Communion emphasises that a deep spiritual communion is possible even when we do not share together the sacrament of the body and blood of Christ.

"a foretaste of our future unity"

44 The Eucharist is not only the memorial of the death and resurrection of the Lord, but also a sign and foretaste of the final unity of the Kingdom of God. From celebration to celebration, God's pilgrim people advances towards the great banquet in heaven, 'when all the elect will be seated at the table of the kingdom.'[92] It is the Lord of Glory who comes to us in the Eucharist, and we anticipate there 'the joys of the age to come.'[93] We celebrate together the communion we already share, but we are also very aware of the imperfection of our unity, even among Catholics gathered to share together the one Bread of Life. We come forward to receive Holy

---

92 *Catechism of the Catholic Church*, no. 1344; cf. Joint Commission for Dialogue between the Roman Catholic Church and the World Methodist Council, *The Apostolic Tradition*, 1991, no. 67.
93 Anglican-Roman Catholic International Commission (ARCIC I), *Eucharistic Doctrine*, no. 11.

Communion as a foretaste of our future unity as God's pilgrim people, and our 'Amen' should include a real commitment to the fullness of that unity. It is as well to remember, in the pain, sorrow and frustration of our journey together as fellow Christians, yearning for unity and yet still disunited, that fullness of communion is a gift of God's grace, and that we will have to 'wait in joyful hope for the coming of our Saviour, Jesus Christ.'[94] This does not mean, of course, that we simply sit and wait. God wills to work through us, and the Eucharist consecrates those who take part in it to be instruments and ambassadors of reconciliation.

The Eucharist and the presence of Christ

45   Jesus Christ promised to remain with his disciples until the end of time, and he is with us in many different ways. He is present through the word of God, 'in that he himself is speaking when Scripture is read in the Church.'[95] He is present in the sacraments, and when the Church prays in word or song. Jesus promised: 'Where two or three are gathered in my name, there am I in the midst of them.'[96] The whole life and work of the Church is sustained by this promise of the continual, real and living presence of its Risen Lord.   The Church community itself is the sacrament of Christ's presence in the world. Christ is present in a special way in the poor, the sick and the imprisoned, and must be recognised there.[97] All these forms of presence are linked with one another, and cannot be separated.

"he is with us in many different ways"

46   The 'supreme form of Christ's presence' is in the Mass.[98] There too the Risen Jesus is present and active in various ways, offering his Church the special gift of himself: 'It is the same Lord who through the proclaimed word invites his people to his table, who through his

"the supreme form of Christ's presence is in the Mass"

---

94 *Roman Missal.*
95 Second Vatican Council, *Constitution on the Sacred Liturgy*, no. 7.
96 *Matthew* 18.20.
97 *Matthew* 25.31-46.
98 Pope Paul VI, Encyclical *Mysterium Fidei*, no. 38.

minister presides at that table, and who gives himself sacramentally in the body and blood of his paschal sacrifice.'[99]

47   Pope Paul VI wrote of Christ's sacramental presence in the Eucharist: 'It is called the "real" presence, not in an exclusive sense as though other forms of presence were not "real", but by reason of its excellence. It is the substantial presence by which Christ is made present without doubt, whole and entire, God and man.'[100] Here we reach the heart of Catholic faith in the particular and mysterious way in which Christ is present in the Eucharist, and to this we say 'Amen' when we come forward for Holy Communion.

48   In the Eucharist, we become one Body with Christ in his sacrificial giving of himself to the Father. We are also united in deep communion with each other through our common sharing in the same Lord. St Paul weaves these two teachings intimately together: 'The cup of blessing which we bless, is it not a participation in the blood of Christ? The bread which we break, is it not a participation in the body of Christ? Because there is one bread, we who are many are one body, for we all partake of the one bread.'[101] If we are to have such living communion with Christ, then he must be truly present. Only then can we be one with him and at-one with each other in him. If we are to be 'one Body' with our Head, then Christ must be bodily present, albeit in the mystery of his risen, glorified body and in a way which is beyond our natural senses.

"This is my Body ... This is my Blood"

49   What Christ said of the bread and wine at the Last Supper is still true today through the ministry of his priests: 'This is my body', 'This is my blood'.[102] Through

99 Anglican-Roman Catholic International Commission (ARCIC I), *Eucharistic Doctrine*, no. 7.
100 Pope Paul VI, Encyclical *Mysterium Fidei*, no. 39.
101 *1 Corinthians* 10.16-17.
102 *Mark* 14.22-24.

the great Eucharistic Prayer of thanksgiving, 'the bread and wine become the body and blood of Christ by the action of the Holy Spirit, so that in communion we eat the flesh of Christ and drink his blood.'[103]

50 Catholics believe that Christ in the Eucharist is 'truly, really and substantially' present.[104] We can preserve intact our faith in this unique gift of Christ to his Church only by insisting on a change in the inner reality of the bread and wine. Catholic teaching emphasises this conversion of the inner reality (or 'substance') of the bread and wine into the inner reality of the body and blood of Christ: 'By the consecration of the bread and wine, there takes place a change of the whole substance of the bread into the substance of the body of Christ our Lord, and of the whole substance of the wine into the substance of his blood.'[105] This happens 'in a way surpassing understanding',[106] by the power of the Holy Spirit who is 'the artisan of God's masterpieces, the sacraments of the new covenant.'[107] Through this transforming action of the Spirit, 'Christ's body and blood become really present and are really given', so that we may be united in communion with Christ himself.[108] In its *Elucidation*, the Anglican-Roman Catholic International Commission stated clearly: 'Before the eucharistic prayer, to the question: '"What is that?", the believer answers: "It is bread." After the eucharistic prayer, to the same question he answers: "It is truly the body of Christ, the Bread of Life."'[109]

"truly, really and substantially present"

---

103 Anglican-Roman Catholic International Commission (ARCIC I), *Eucharistic Doctrine*, no. 10.
104 Decree of the Council of Trent, DS 1651 (Denzinger-Schönmetzer, *Enchiridion Symbolum Definitionum et Declarationum* 36th edition).
105 Decree of the Council of Trent, DS 1642 (as quoted in the *Catechism of the Catholic Church*, no. 1376): this change is usually referred to as 'transubstantiation'.
106 *Catechism of the Catholic Church*, no. 1333.
107 *Catechism of the Catholic Church*, no. 1091.
108 Anglican-Roman Catholic International Commission (ARCIC I), *Eucharistic Doctrine*, no. 9.
109 ARCIC I, *Elucidation*, no. 6.

"this presence can be grasped only by faith, not by our senses"

51 The word 'substance' is not used in Catholic teaching in any material sense, but rather as a way of referring to that 'inner reality' which 'stands under' what we see and touch and taste. Catholics speak of Christ being present 'under the forms of bread and wine'. The visible elements, the forms of bread and wine, become the 'blessed sacrament' of the invisible and mysterious presence of the risen and glorified Lord. This presence can be grasped only by faith, not by our senses.[110] The whole Christ is present, but 'in such a way that the breaking of bread does not divide Christ.'[111] We do not break Christ when we break the consecrated 'host'. St Thomas Aquinas once addressed Christ in a homily: 'In the breaking of bread, you are not broken, nor are you divided. You are eaten, but, like the burning bush, you are not consumed. You are whole and entire and perfect in each and every fragment of the host, as visual appearances are multiplied in a hundred mirrors.' There is no breaking or division of the mysterious reality of Christ, only of the sacramental signs.[112] Each person who receives communion receives the whole Christ. This has the power to bring about an extraordinary unity among those who receive, a true unity 'in Christ.'

"sanctify yourself by partaking also of Christ's Blood"

52 We receive the whole Christ when receiving Holy Communion either under the form of bread or under the form of wine, but Catholics are 'encouraged to desire Communion under both kinds in which the meaning of the Eucharistic banquet is more fully signified.'[113] St Cyril of Jerusalem, in the fourth century, summed up the practice of the early Church for coming forward for Holy Communion: 'Make your left hand a throne for your right, since your right hand is about to welcome a king. Cup your palm and receive in it Christ's body, saying in

110 *Catechism of the Catholic Church*, no. 1381.
111 *Catechism of the Catholic Church*, no. 1377.
112 See St Thomas Aquinas' hymn, *Lauda Sion*: 'A sumente non concisus, non confractus, non divisus, integer accipitur. ... Nulla rei fit scissura, signi tantum fit fractura.'
113 *General Instruction on the Roman Missal*, no. 240; cf. no. 241.

response "Amen". ... After partaking of Christ's body, go to receive the chalice of his blood. ... Bow your head and say "Amen" to show your homage and reverence, and sanctify yourself by partaking also of Christ's blood.'[114] Receiving from the chalice expresses powerfully the sacrificial nature of the Mass. By taking part in the Eucharist we are drawn deeper into the new and everlasting covenant which was sealed with the blood of the Lamb. Our communion together in the blood of Christ is our communion with the sacrificial self-giving of Our Lord. As we take the cup of salvation, we say that we are ready to drink from the cup that he drank,[115] and to give ourselves in sacrificial love as servants of salvation [see also no. 25].

53   Christ is present in this special way whether or not we believe in him or are open to him. His presence 'does not depend on the individual's faith in order to be the Lord's real gift of himself to his Church.'[116] But as in any relationship of love, his offering of himself has to be met by faith if a life-giving encounter and deep personal communion is to take place. Although Catholics rightly emphasise the conversion of the bread and wine in the Eucharist, it is ultimately the conversion of human hearts that is God's loving will. At Mass there is a two-fold sending of the Holy Spirit: firstly, to transform the bread and wine, already symbols of our lives, into the body and blood of Christ; secondly, to transform the lives of those who receive the sacrament into the Body of Christ, ever more united with one another in Christ. We receive the sacrament of Christ's body and blood so that we might more powerfully *be* the sacrament of Christ and his salvation in the world: 'The bread and wine become the sacramental body and blood of Christ in

"receiving Holy Communion should always imply a longing to be more closely united with the Church"

114 *Mystagogical Catecheses*, Sermon 5, 21-22, as translated in *The Awe-Inspiring Rites of Initiation* by Edward Yarnold, Slough 1971.
115 Cf. *Mark* 10.35-40.
116 Anglican-Roman Catholic International Commission (ARCIC I), *Eucharistic Doctrine*, no. 8; cf. Joint Commission for Dialogue between the Roman Catholic Church and the World Methodist Council, *Growth in Understanding*, Dublin 1976, no. 54.

order that the Christian community may become more truly what it already is, the body of Christ.'[117]   The Eucharist is a Church-making sacrament, and receiving Holy Communion should always imply a longing to be more closely united with the Church as a member of Christ's body.

"the very act of coming to Mass on Sunday is a proclamation of our faith and commitment, and a witness to the world"

54   Sunday is the first of all days, the Lord's Day, the day when Christ our Saviour rose from the dead. Christians in our countries need to work together to make this day special to the Lord, but it is above all the celebration of the Eucharist, Sunday after Sunday, which keeps it holy. 'The Sunday celebration of the Lord's Day and his Eucharist is at the heart of the Church's life.'[118]   Sunday is 'the foremost holy day of obligation in the universal Church',[119] and taking part in the Mass every Sunday is 'a testimony of belonging and of being faithful to Christ and to his Church.'[120]   As bishops we reaffirm this obligation, and urge all Catholics in our countries to take part in the Eucharist every Sunday. The very act of coming to Mass on Sunday is a proclamation of our faith and commitment, and a witness to the world. We also strongly encourage daily Mass and Holy Communion when this is possible. God then feeds us with bread from heaven each day of our pilgrim journey, as he fed his people each day with manna in the desert. It is the Lord in person who invites us to come to him in the Eucharist and to receive him: 'Take this, all of you, and eat it', 'Take this, all of you, and drink from it', 'Do this in memory of me.'

"a much-loved focus of devotion"

55   At Mass and afterwards, Catholics express their faith in the real presence of Christ by genuflecting or bowing deeply as a sign of adoration. The radical conversion of the inner reality of the bread and wine means that the

117 Anglican-Roman Catholic International Commission (ARCIC I), *Elucidation*, no. 6.
118 *Catechism of the Catholic Church*, no. 2177; cf. Pope John Paul II, Apostolic letter *Dies Domini*, throughout.
119 *Code of Canon Law*, can. 1246.1.
120 *Catechism of the Catholic Church*, no. 2182.

consecrated elements remain the 'Blessed Sacrament' of Christ's presence when the celebration of the Eucharist is over. Any remaining consecrated hosts are treated with the utmost reverence. For Catholics, reservation of the Blessed Sacrament is 'a sign of Christ's abiding presence in the Church and a much-loved focus of devotion.'[121] Always centred on the actual celebration of the Eucharist, the sacrament is reserved for taking communion to the sick and for silent adoration. 'In his Eucharistic presence he remains mysteriously in our midst as the one who loved us and gave himself up for us, and he remains under signs that express and communicate this love.'[122] As bishops we wish strongly to encourage prayer before the Blessed Sacrament: this includes extended periods of Exposition, Benediction and personal visits to church for prayerful adoration. Our response of 'Amen' when we come forward for Holy Communion includes an acceptance in faith of the permanence of the sacramental presence of the Lord, and a readiness to reverence that presence in our hearts, in our prayer and in the way we act in church, together and alone.

Holy Communion and Full Communion

56 The Mass, like the whole of our Christian faith and discipleship, should be something deeply personal, but never private. In all its parts, it is the action of a community rather than merely a gathering of individuals. We may come to church by our separate ways, but we assemble as Christ's Church, visibly united by the power of the Holy Spirit.

"deeply personal, but never private"

57 The Eucharist is a hallowed means towards healing the divisions and deepening the unity of those who take part in any way. The Church's unity is rooted and centred in the Eucharist: 'The Eucharist is the creative force and source of communion among the members of the Church, precisely because it unites each one of them

"a hallowed means towards healing divisions and deepening unity"

---

121 English and Welsh Bishops, *Response to the Final Report of ARCIC I*, no. 19.
122 *Catechism of the Catholic Church*, no. 1380.

with Christ himself.'[123] We become companions in the literal sense of the word, sharing bread together, the Bread of Life.[124] The Eucharistic Prayers of the Catholic Church are prayed 'in union with the whole Church'.[125] We pray for the Catholic Church, that the Father may grant it 'peace and unity throughout the world.'[126] We pray that 'all of us who share in the body and blood of Christ may be brought together in unity by the Holy Spirit', that we may 'grow in love' together with the Pope and bishops,[127] and that we may 'become one body, one spirit in Christ,'[128] 'healed of all division.'[129] The healing and uniting power of the Eucharist is such that we can ask the Father to unite all his children, 'wherever they may be.'[130]

"be reconciled with one another first"

58 This healing power of the Mass is important for Catholics gathered together in worship. There are times when we need to be reconciled to one another, when our little faith needs to be renewed and strengthened, when our love needs to be refreshed or brought to life again. The offering to each other of the 'kiss' or sign of peace before receiving Holy Communion expresses something of this. St Cyril of Jerusalem taught that 'the kiss joins souls together in search of complete forgiveness from one another. ... So the kiss is a reconciliation, and therefore holy.'[131] Others saw it as a profession of unity and mutual love before we share together the 'one bread' as the 'one body' of Christ.[132] Jesus himself calls us to be reconciled

123 Congregation for the Doctrine of the Faith, *Letter to the Bishops of the Catholic Church on some aspects of the Church understood as Communion*, no. 5.
124 The word 'companion' is rooted in the Latin *cum* (with) and *panis* (bread).
125 Eucharistic Prayer I.
126 Eucharistic Prayer I.
127 Eucharistic Prayer II.
128 Eucharistic Prayer III.
129 Eucharistic Prayer I for Masses of Reconciliation.
130 Eucharistic Prayer III.
131 *Mystagogical Catecheses*, Sermon 5, 3, as translated in *The Awe-Inspiring Rites of Initiation* by Edward Yarnold, Slough 1971.
132 E.g. Theodore of Mopsuestia, *Baptismal Homily IV*, 39-40; cf. *General Instruction on the Roman Missal*, no. 56b; Pope John Paul II, Apostolic letter *Dies Domini*, no. 44.

with one another first before offering our gift at the altar.[133] We come to the Eucharist as sinful pilgrims struggling along the way to holiness. But we believe that Christ is there to welcome us and to say his word of healing, to sanctify and transform our lives, and to deepen our unity with the Holy Trinity and with one another in his Church.

59 Each celebration of Mass is one Eucharistic moment in the life of the Church from East to West, and through the ages. The community gathered for Mass does not celebrate on its own, but as united with 'all who hold and teach the catholic faith that comes to us from the apostles.'[134] A truly Catholic community is open to every other such community, united in Christ by the Spirit so as to be one in truth and in love. This is an essential part of our Catholic understanding. This unity of the universal Church is a communion in truth, in love and in holiness. It is rooted in sharing the same faith and in our common baptism, in the Eucharist, and also in communion with the bishops of the Church united with the Bishop of Rome. These three signs and sources of unity - shared faith, shared Eucharist and shared ministry - belong together.

"shared faith, shared Eucharist, shared ministry belong together"

60 In Catholic teaching, full communion of faith is made clearly visible above all at the Eucharist, the celebration of Mass.[135] The simple act of receiving Holy Communion is the highest expression of a living and visible unity of faith and life with the community which celebrates that Eucharist. Full participation at a Catholic Mass through reception of Holy Communion normally implies full communion with the Catholic Church itself. What we are doing when we receive Holy Communion can never be divorced from our faith in what we are as a community of faith and love: 'The celebration of the

"full participation at a Catholic Mass through reception of Holy Communion normally implies full communion with the Catholic Church itself"

---

133 *Matthew* 5.23-24.
134 Eucharistic Prayer I; cf. Pope John Paul II, Apostolic letter *Dies Domini*, no. 34.
135 Pope John Paul II, Encyclical *Ut unum sint*, no. 97.

Eucharist is of itself a profession of faith in which the whole Church recognises and expresses itself.'[136] Sharing Eucharistic Communion should always imply sharing in the profession of that Catholic faith. Full Eucharistic sharing is a profession of the fullness of the faith of the Church [see also, however, nos. 89-94, 96].

"in communion with our Pope and bishops"

61 The whole Catholic Church is involved in every celebration of Mass. We are not simply a group of believers gathered around a priest at an altar in a particular place. We are united with our local bishop, and through him with the whole college of bishops united with the Pope. This is why we include the names of our bishop and of the Pope in the Eucharistic Prayer. We are not simply praying for them; we are expressing our communion with them. The bishop is associated with every parish celebration of Mass. This was symbolised for several centuries in Rome by the Pope sending a particle of the consecrated bread from his celebration of Mass to each priest presiding at a local celebration, so that they would not be separated from communion with him.[137] This particle (known as the *fermentum*) was then added to the chalice before the distribution of communion, to express the truth that the Eucharist is the sacrament of the unity of the Church. We can also say that 'the Pope is associated with every celebration of the Eucharist', as the sign and servant of the unity of the universal Church.[138] The words of our newest Eucharistic Prayer express this faith: 'Strengthen the bonds of our communion with N. our pope, N. our bishop, with all bishops, priests and deacons, and all your holy people.'[139] Receiving Holy Communion at a Catholic Mass implies a longing for communion in faith and love with the local Catholic bishop and the Pope.

---

136 Secretariat for Promoting Christian Unity, *Instruction on admitting other Christians to Eucharistic Communion in the Catholic Church,* 1972, no. II.2.
137 Cf. Pope Innocent I (401-417), *Letter to Decentius,* V.
138 *Catechism of the Catholic Church,* no. 1369.
139 *Eucharistic Prayer for Masses for Various Needs and Occasions.*

62   We believe that when a person receives Communion at a Eucharistic celebration, he or she should be expressing a deep unity of faith and love with that particular community, and with the wider communion to which that community belongs.   Normally when people receive Holy Communion at a Catholic celebration of Mass, they should be saying: 'We are in full communion with the Catholic Church, united with the bishop of this local community and with the Pope.'   This aspect of the Eucharist is deeply rooted in the life of Catholics in Britain and Ireland.   In the days of persecution, faithfulness to the Catholic celebration of the Mass and faithful communion with the Pope went hand in hand as the key visible signs of the fullness of Catholic faith.   In Catholic teaching, receiving Holy Communion cannot be separated from this 'ecclesial' understanding of the Eucharist.   We can further illustrate this teaching in two ways.

63   Often in the early Church, a Christian travelling away from home would take a letter from their own bishop, who would confirm that the person was in full communion with him.   The 'away bishop' would then check the list of bishops with whom he was in full communion. If the person's 'home bishop' was on that list, the traveller would be admitted to communion at the Eucharist in that town. Allowing someone to receive communion in one's church was an acceptance of that person as being a full member of the communion of churches to which the host community belonged.[140]

64   This same point is made by the Catholic rite of receiving a baptised Christian from another denomination into the Catholic Church. Baptism means that a person is already in partial communion with the Catholic Church. The final rite of welcome is called

"we should not forget that the Eucharist is a Sacrament of Initiation"

140 Cf. Cardinal Joseph Ratzinger, *Called to Communion*, San Francisco 1996; pp. 87-88; Ludwig Hertling, 'Communio und Primat - Kirche und Papsttum in der christlichen Antike' in *Una Sancta* 17 (1962), pp. 91-125.

'Reception into *Full* Communion', and the climax of this rite is the reception *for the first time* of sacramental communion at the Catholic Eucharist. In other words, receiving Holy Communion is the supremely powerful sign that the person is now a full member of the Catholic Church. It is an *effective* sign which on that one occasion, the Mass of Reception, actually brings about the state of full membership. We should not forget that the Eucharist is a Sacrament of Initiation. When young children make their First Holy Communion, they too are brought into a new and deepened communion with the Catholic Church.

"united with the angels and the saints"

65   This deepened communion brought about by the Holy Spirit in the Eucharist includes not only that with the members of the pilgrim Church here on earth, but 'also between these and all who, having passed from this world in the grace of the Lord, belong to the heavenly Church or will be incorporated into her after being fully purified.'[141] In the Eucharistic Prayer, we ask for a share in the fellowship of Mary, the Mother of God, the apostles, the martyrs and all the saints,[142] and we pray to be made worthy to share eternal life with them.[143] We are united with the angels and the saints in the heavenly liturgy as we worship God, and we pray: 'When our pilgrimage on earth is complete, welcome us into your heavenly home, where we shall dwell with you for ever. There, with Mary, the Virgin Mother of God, with the apostles, the martyrs and all the saints, we shall praise you and give you glory through Jesus Christ, your Son.'[144]

141 Congregation for the Doctrine of the Faith, *Letter to the Bishops of the Catholic Church on some aspects of the Church understood as Communion*, no. 6; cf. Second Vatican Council, *Dogmatic Constitution on the Church*, no. 49.
142 Eucharistic Prayer I.
143 Eucharistic Prayer II.
144 *Eucharistic Prayer for Masses for Various Needs and Occasions.*

66 At the end of Mass, we are sent forth in peace to love and to serve the Lord, in deeper communion, we hope, with each other and with the whole Church. We receive the body of Christ so that we may go forth as the Body of Christ into the world, the living sacrament of his presence in the midst of others. Through the Eucharist we become more profoundly the Church and we are sent forth as the Church to fulfil our mission in and for the world. There is an intimate and inseparable link between Mass and mission, between worship and way of life.[145] Our communion with Christ means that we share not only his life but also his mission. At each Eucharist, the Risen Christ says to us anew: 'As the Father sent me, so am I sending you',[146] and breathes his Spirit upon us. The Spirit we receive anoints us afresh to bring good news to the poor, since any true communion with the living Lord will lead us to recognise him in those most in need.

"an intimate and inseparable link between Mass and mission, between worship and way of life"

67 The celebration of the Eucharist commits us to the poor and should flow into social action; our active love for the poor and oppressed, the sick and the sad, leads us back to the Eucharist as the source and summit of all we do. 'To receive in truth the Body and Blood of Christ given up for us, we must recognise Christ in the poorest', his brothers and sisters.[147] Jesus himself powerfully reminds us that whatever we do for those in need, we do for him.[148] In the early Church, bishops like St John Chrysostom challenged those who recognised Christ in the breaking of bread to recognise him also in the broken lives of those around them: 'Would you honour the body of Christ? Do not despise his nakedness; do not honour him here in church clothed in silk vestments and then pass him by unclothed and frozen outside. Remember that he who said, "This is my body", and made good his words, also said, "You saw me hungry and gave me no

"the celebration of the Eucharist commits us to the poor and should flow into social action"

145 Cf. Pope John Paul II, Apostolic exhortation *Christifideles Laici*, no. 32; cf. Pope John Paul II, Apostolic letter *Dies Domini*, no. 45.
146 *John* 20.21 (*Jerusalem Bible*).
147 *Catechism of the Catholic Church*, no. 1397; cf. Pope John Paul II, Apostolic letter *Dies Domini*, nos. 69-73.
148 *Matthew* 25.31-46.

food", and, "in so far as you did it not to one of these, you did it not to me". In the first sense the body of Christ does not need clothing but worship from a pure heart. In the second sense it does need clothing and all the care we can give.'[149]

In the *Eucharistic Prayer for Masses for Various Needs and Occasions*, we pray: 'Open our eyes to the needs of all; inspire us with words and deeds to comfort those who labour and are overburdened; keep our service of others faithful to the example and command of Christ. Let your Church be a living witness to truth and freedom, to justice and peace, that all people may be lifted up by the hope of a world made new.' As bishops, we pray that all of us in the Catholic community may say and live our 'Great Amen' to those words.

Reconciliation and the Anointing of the Sick

68 Before moving on to a discussion of sacramental sharing in the Eucharist, for which an understanding of the teaching of the Catholic Church is so essential, it is important to include some teaching on the Sacraments of Reconciliation (or 'Confession') and the Anointing of the Sick. As with the Eucharist, we can properly understand these sacraments only in their setting within the communion of the Church. Both are intimately bound up with and directed towards the Eucharist.[150] Both are sacraments of healing by which the Risen Christ touches the lives of his friends and followers through the visible ministry of his Church.

"forgiven by God and, at the same time, reconciled with the Church"

69 Reconciliation lies at the heart of the Good News of Jesus Christ, who came to reconcile us with his Father and with one another. In this sacrament of forgiveness, we confess the holiness and mercy of God, who grants us pardon and peace. Through the absolution given by the

149 *Homily 50*, as given in the *Divine Office* for the Office of Readings on Saturday of Week 21.
150 *Code of Canon Law*, can. 897.

priest in the name of the Holy Trinity, a member of the Church is forgiven by God and, at the same time, reconciled with the Church which is wounded by our sins.[151]   We are made at-one again both with God and with the Church. This is a vital gift to the Church as we pursue together our pilgrim path of conversion and growth in holiness. Christ's Church is 'at one and the same time holy and always in need of purification'.[152] 'In its pilgrimage on earth Christ summons the Church to continual reformation, of which it is always in need, in so far as it is an institution of human beings here on earth.'[153] The same is true of each and every member of the Church. Christ reaches out to touch our lives with his gifts of healing of soul and renewal of communion, above all through the Sacrament of Reconciliation.   It is a sacrament of 'spiritual resurrection'.[154]

70   'Reconciliation with the Church is inseparable from reconciliation with God.'[155] Renewal of communion with Christ and renewal of full communion with his Church go hand in hand. Jesus himself not only forgave sinners, but also drew them back into the community of God's People from which their sin had alienated or even excluded them. We see this especially when Jesus welcomed sinners and ate with them, 'a gesture that expresses in an astonishing way both God's forgiveness and the return to the bosom of the People of God.'[156] When Jesus gave authority to Peter and the other apostles to 'bind and loose',[157] he was using a Jewish expression for excluding from and then re-introducing someone into the community. Catholics believe that the Risen Christ has made his Church the sign and instrument of his gift of forgiveness and reconciliation.[158]

"renewal of communion with Christ and renewal of full communion with his Church go hand in hand"

---

151 *Code of Canon Law*, can. 959.
152 Second Vatican Council, *Dogmatic Constitution on the Church*, no. 8.
153 Second Vatican Council, *Decree on Ecumenism*, no. 6.
154 *Catechism of the Catholic Church*, no. 1468.
155 *Catechism of the Catholic Church*, no. 1445.
156 *Catechism of the Catholic Church*, no. 1443.
157 *Matthew* 16.19; 18.18.
158 *Catechism of the Catholic Church*, no. 1442.

71 In coming to the Sacrament of Reconciliation, repentant sinners open their lives again 'to God and to the communion of the Church in order to make a new future possible.'[159] This sacrament reconciles them to the Church, repairing or restoring the communion damaged or broken by sin. This teaching was powerfully expressed in the early Church in its rite of 'public penance'. When a member of the Church fell into serious sin, he or she was excluded from Eucharistic Communion during a long period of fasting and penance. Once this was completed, the person was reconciled by the bishop and restored to full communion with the Church. It was clear that invisible reconciliation with Christ and visible reconciliation with his Church belonged closely together: the visible was the sacrament of the invisible.

72 Although sin is something deeply personal, it is never private. It always affects others for the worse, just as holiness affects others for the better. Since the Body of Christ suffers from the sin of its members, the Sacrament of Reconciliation has 'a revitalising effect on the life of the Church'.[160] Anyone who comes as a sorrowful sinner to Christ in this sacrament should be seeking not only the forgiveness of God but also deeper communion with the Church as God's community of reconciliation and resurrection. Since serious sin excludes a person from full participation in the Eucharist and full communion with the Church, receiving the Sacrament of Reconciliation should always involve a desire for restoration to both Eucharistic communion and full unity with the Church.

"Christ continues to touch those who are seriously ill or frail through old age with the gift of the Holy Spirit"

73 The Sacrament of the Anointing of the Sick is also an act of the Risen Lord through the community of the Church. Christ continues to touch those who are seriously ill or frail through old age with the gift of the Holy Spirit, bringing strength, peace and courage in their difficulties. Through the priest who anoints, the

---

159 *Catechism of the Catholic Church*, no. 1455.
160 *Catechism of the Catholic Church*, no. 1469.

whole community of the Church gathers with their prayer and their loving care. As Christ's Body we are strengthened by the continued communion with us of those who are sick. Once again, although Christ touches the lives of the sick in a deeply personal way, this sacrament is always a celebration of the community of faith rather than a private ritual.

74 Serious sickness often physically cuts a person off from full participation in the life of the Christian community. It can seem to impair full visible communion with the Church, especially when it gathers for the Eucharist. When we are ill or house-bound, we can feel isolated from God's family, and weakened by the lack of visible, tangible involvement. Through the sacrament of Anointing, we are kept 'in touch' with the community of the Church in our sickness, and the bonds of communion are refreshed and strengthened. Through the laying-on of hands and the anointing with oil, the sick are empowered to serve the Lord in a new way, and the Church turns to them for their prayerful assistance and support. As with the Sacrament of Reconciliation, a desire to receive this sacrament of healing should imply a longing for deeper communion with the Church. Participation in the Eucharist and full communion with the Catholic Church is maintained above all by receiving Holy Communion at home or in hospital, ideally directly from the celebration of Mass. Taking Holy Communion and the sacraments of Reconciliation and Anointing of the sick is the richest way of making visible to them that they are still in living communion with the Body of Christ.

"kept in touch with the community of the Church in our sickness"

75 The sacraments of Reconciliation and Anointing remind us of the bountiful mercy and healing compassion of God, deepening and strengthening the communion of the repentant sinner and of the sick person both with God himself and with the Church. These sacraments bring healing and peace to the Church.

Part 3: Together yet divided

The pain of our brokenness

"simply taking the pain away does not in itself bring healing"

76   St Paul uses the image of the human body to express something of the unity of the members of the Church, among ourselves but above all 'in Christ', our Head. Sadly, any discussion of sacramental sharing sharply focuses our attention on Christian disunity, and on the need for reconciliation and healing. When there is brokenness in our human body, there is pain. Pain is a keen reminder that there is something wrong, that we need healing. Simply taking the pain away does not in itself bring healing; it can sometimes dull our sense of the need for serious medical attention. Much the same can be said of the Body of Christ, his Church. We are called to be one, and we seek together more urgently than ever before to be one band of pilgrims, united in faith and in love, in holiness and in mission. This makes us feel even more strongly the pain of our divisions, above all at the Eucharist when we are unable to share together as one Body the one Bread of Life.

"this pain can be a powerful stimulus to putting our energy into the real healing of our disunity"

77   This pain can be a powerful stimulus to putting our energy into the real healing of our disunity, moving from the partial communion we already enjoy to the full communion which will enable us to share together the one table of the Lord. There are times when sacramental sharing is to be commended, but it cannot be justified simply by the desire to remove the sense of sorrow and hurt when we are together and yet not fully together, at a celebration of the Eucharist. Feeling strongly that we want to do something together does not necessarily mean that it is the *right* thing to do. Catholic teaching allows exceptional sharing only when strong desire is accompanied by a shared faith, grave and pressing spiritual need, and at least an implicit desire for communion with the Catholic Church.

78 It is at the Eucharist above all that the continued dividedness of Christians is most visibly evident. The Eucharist may not, therefore, be the appropriate liturgical celebration when divided Christians meet together to celebrate the partial communion they already share. When as Christians we do come together for the Eucharist, we should not celebrate in a way that suggests a degree of unity which we do not have. For this reason, as Catholic bishops in Britain and Ireland, we do not judge the celebration of the Eucharist at an ecumenical gathering or event to be a situation in which sacramental sharing might be considered as appropriate in our countries.

Mixed marriages

79 The pain of disunity can be felt most acutely by committed Christians of different communions who are intimately united by the sacrament of Marriage, and by their children. In marriage, a new community is created, and we speak of the Christian family as being a 'domestic church'.[161] Husband and wife are called to be 'one flesh', and to mirror in their lives the love of God for his people and the deep communion between Christ and his Church. They are 'caught up into divine love', and enriched by the redeeming power of Christ and the saving activity of his Church.[162] When a Christian not in full communion with the Catholic Church marries a Catholic, he or she enters into 'a partnership of the whole of life' (*consortium totius vitae*) with the Catholic, and *vice-versa*. That person is already in partial communion with the Catholic Church through Baptism. A new form of communion, still partial and incomplete, is brought about through the sacrament of Marriage.

"in marriage, a new community is created"

161 Second Vatican Council, *Dogmatic Constitution on the Church*, no. 11.
162 Second Vatican Council, *Pastoral Constitution on the Church in the Modern World*, no. 48.

80 There are different kinds of mixed marriages. Some are often described as inter-church marriages, involving two practising and committed Christians. As Catholic bishops, we recognise the potential ecumenical significance of such marriages. Husband and wife enjoy a communion which can be a powerful stimulus to their Christian communities to seek the full visible unity to which we are called by the Lord. To have such couples in our midst is a challenge to our divided communities to grow ever closer together, so that we can share fully the nuptial unity of God's Kingdom, completely at-one at the Wedding Feast of the Lamb.

"still partial and incomplete" **81** Such couples and families, however, are not in full communion with each other in their Christian faith. The sacrament of Marriage does not remove the incompleteness of the communion shared by the Catholic Church and the faith community of the other Christian. When husband and wife are members of Christian communities not yet in full communion with one another, they face an obstacle to the full unity of their family life. This will remain as long as the faith communities to which they belong continue to be divided. The sacrament of Marriage makes a couple 'one flesh' and hopefully 'one heart', but it does not make a couple in a mixed marriage fully one in the faith of the Church. This is why the *Directory* reminds us, 'The perfect union of persons and full sharing of life which constitutes the married state are more easily assured when both partners belong to the same faith community.'[163] When an inter-church couple decide to marry, however, aware of the particular difficulties involved, the Catholic Church wishes to give them all the help they need and to be enriched in turn by their married life. As bishops, we urge priests, deacons and the whole Catholic community to support such couples as fully as possible with their prayer and pastoral care.

163 *Directory for the Application of Principles and Norms on Ecumenism*, no. 144.

82 The Second Vatican Council taught that 'no Christian community can be built without roots and foundations in the celebration of the most holy Eucharist'.[164] This is true of the special community of the married couple and their family. The ideal, of course, is the fullness of communion achieved by husband, wife and children sharing as one the Body and Blood of the Lord. This was beautifully expressed by the Christian writer Tertullian 1,800 years ago: 'How shall we ever be able adequately to describe the happiness of that marriage which the Church arranges, the Sacrifice strengthens, upon which the blessing sets a seal, at which angels are present as witnesses, and to which the Father gives his consent. How beautiful then the marriage of true Christians, two who are one in hope, one in desire, one in the way of life they follow, one in the religion they practise. ... Side by side they visit God's church and partake of God's Banquet.'[165]

"how beautiful ... the marriage of true Christians"

83 Inspired by such a vision of Christian married life, a couple in a mixed marriage may well have a strong desire to receive Holy Communion together, to be fully united at the Lord's table. The *Directory* identifies such marriages as possible situations when in certain circumstances the Catholic Church may admit the non-Catholic partner to Holy Communion.[166] The fact that a couple share not only the sacrament of Baptism but also the sacrament of Marriage can be seen to make them a special case, but the *Directory* still reminds us that even though 'the spouses in a mixed marriage share the sacraments of baptism and marriage, Eucharistic sharing can only be exceptional.'[167] There will sometimes be a deep sense of pain and sadness when they find themselves divided at this most sacred moment of unity.

"a couple in a mixed marriage may well have a strong desire to receive Communion together"

---

164 Second Vatican Council, *Decree on the Ministry and Life of Priests*, no. 6.
165 Tertullian, *Ad uxorem*, 8.
166 *Directory for the Application of Principles and Norms on Ecumenism*, no. 159.
167 *Directory for the Application of Principles and Norms on Ecumenism*, no. 160.

As bishops, we are sensitive to this, and try to understand as best we can. The hurt felt by such couples at the heart of the Church's memorial of the sacrificial cross and resurrection of Christ can remind us of the urgent need for the healing of Christian dividedness.

"a sign of the degree of unity we already share"

84   A couple in a mixed marriage need as far as possible to centre their life together on the celebration of the Eucharist, and to be sustained by this celebration in their special 'call to be one'. We recall, however, the important distinction between 'celebrating the Eucharistic Sacrifice' and 'receiving Holy Communion'. As we saw earlier, there are many different ways of participating in the Eucharist, even for those unable for one reason or another to be admitted to Holy Communion. This is true in a special way for married couples and their children. In many Catholic churches, those unable to receive Holy Communion are strongly encouraged to go forward for a 'blessing' at the same time as others go forward for the sacrament. They join the same procession to the altar, expressing the real though still imperfect communion that already exists between Christians. In much the same way, a Catholic in a mixed marriage who joins his or her spouse at the Eucharistic celebration of another denomination can express the partial communion between Christians by going forward for a blessing when Communion is distributed, where this is the custom of that Christian community. This idea of 'spiritual communion' is an important part of our Catholic tradition which we should not lose. Reciprocal acceptance of a 'blessing' by Catholics and other Christians at each other's Eucharistic celebrations is something which we encourage as a sign of the degree of unity we already share.

"any marriage is an exchange of gifts"

85   In a mixed marriage, the sacramental bond between husband and wife means that the Christian not in full communion with the Catholic Church can share in the

benefits of the Mass through his or her union with the Catholic spouse. Through the regular reception of Holy Communion by the Catholic (and their children), the other partner can be kept in close communion with the Catholic Church. This is especially true when husband and wife go together to the Catholic Eucharist, not yet completely one in faith, unable to participate fully together, and yet celebrating as deeply and completely as possible the sacred communion of life they share through their Baptism and Marriage. As in many other parts of their married life, husband and wife learn to depend upon one another, to lean on each other, to receive from each other. Any marriage is an 'exchange of gifts'. Two committed Christians will be mutually enriched by each one's involvement in the life, prayer and sacramental rites of their particular Christian community.

86   There are degrees of communion in the mystery of the Eucharist just as there are degrees of communion with the Church. Christ's saving power can touch the lives of an inter-church couple and family in many ways through the Eucharist, even though they cannot normally participate fully together in the celebration. A Christian family is indeed a 'domestic church', but an inter-church family is a sharply focused image of Christians as they are in reality, united in many ways in Christ and yet still not fully at-one in faith. When accepted with loving humility and spiritual courage, the sadness felt by such couples can be a positive force for the life of the Church. As the *Directory* reminds us: 'When members of the same family belong to different Churches and ecclesial communities, when Christians cannot receive Communion with their spouse or children, or their friends, the pain of division makes itself felt acutely and the impulse to prayer and ecumenical activity should grow.'[168]

168 *Directory for the Application of Principles and Norms on Ecumenism*, no. 27.

Separated and divorced Catholics at the Eucharist

87   Although this is not a focus for this document, we feel as bishops that we cannot ignore the spiritual needs of those who suffer the pain of breakdown in their marriages. Those who have separated or divorced and have not remarried need much support and care from the Church.   This is emphasised by Pope John Paul II: 'Loneliness and other difficulties are often the lot of separated spouses, especially when they are the innocent parties. ... The situation is similar for people who have undergone divorce, but, being well aware that the valid marriage bond is indissoluble, refrain from becoming involved in a new union. ... Here it is even more necessary for the Church to offer continual love and assistance, without there being any obstacle to admission to the sacraments.'[169]   The last point is particularly important. Being separated or divorced does not in itself mean that a person may not receive Holy Communion.

"receive them with love and help them participate in the life of the Church"

88   Priests and deacons must also show a special pastoral care for people involved in a new relationship where one or both of the partners has been validly married before.   These also, for different reasons, experience the pain of not being able fully to participate in the Eucharist by receiving Holy Communion.   The Catholic Church has reaffirmed her practice of not admitting to Holy Communion people who have divorced and remarried.[170]   This does not mean, however, that the Church wishes to exclude them from its life.   Priests should receive them with love and help them participate in the life of the Church. Out of love for the truth, it is also important that pastors discern carefully the different situations of the divorced and remarried, and take to heart especially those who have sincerely tried to save their first marriage and have been abandoned through no

169 Pope John Paul II, Apostolic exhortation *Familiaris Consortio*, no. 83.
170 Pope John Paul II, Apostolic exhortation *Familiaris Consortio*, no. 84; cf. *Catechism of the Catholic Church*, no. 1650; Congregation for the Doctrine of the Faith, *The Reception of Holy Communion by the divorced and remarried* (1994), throughout.

fault of their own.[171]   The whole Catholic community should embrace and support the divorced and remarried, and make sure they do not think of themselves as cut off from the Church.   They are welcome to participate in the Mass as fully as their state of life allows.   All we said earlier about different ways of taking part without receiving Holy Communion applies to them in their own way [see nos. 47-48].   They are to be helped 'to deepen their understanding of the value of sharing in the sacrifice of Christ in the Mass, of spiritual communion, of prayer, of meditation on the Word of God, and of works of charity and justice.'[172]   All people who find themselves excluded from complete participation in the sacraments, for whatever reason, must be supported as fully as possible in their faith and spiritual life.

Spiritual need: personal and ecclesial

89   What should the Catholic Church do when other Christians who long for Holy Communion, or for Reconciliation and the Anointing of the Sick, cannot celebrate these sacraments in their own Christian community? Should we allow such fellow pilgrims to be deprived of the Bread of Life, or the pardon and healing of the Lord? The Church seeks to respond with sensitivity to the spiritual needs of the baptised. The general principle remains that sharing fully the sacramental life of the Catholic Church is acceptable only among 'those who share its oneness in faith, worship and ecclesial life.'[173]   Given the spiritual importance of the sacraments, however, access to them may be permitted, or even commended, 'in certain

"sensitivity to the spiritual needs of the baptised"

---

171 Cf. Pope John Paul II, Apostolic exhortation *Familiaris Consortio*, no. 84; Congregation for the Doctrine of the Faith, *The Reception of Holy Communion by the divorced and remarried*, no. 5, 9.

172 Congregation for the Doctrine of the Faith, *The Reception of Holy Communion by the divorced and remarried*, no. 6; cf. Pope John Paul II, Apostolic exhortation *Familiaris Consortio*, no. 84; *Catechism of the Catholic Church*, no. 1651.

173 *Directory for the Application of Principles and Norms on Ecumenism*, no. 129.

circumstances, by way of exception, and under certain conditions.'[174] We say this as Catholics precisely because of our deep faith that the Bread of Life is vital spiritual food for the Christian life, and because we are increasingly and joyfully aware of the real though imperfect communion of other Christians with the Catholic Church.

90 The Second Vatican Council laid down two key principles which govern sacramental sharing: 'first, the bearing witness to the unity of the Church, and second, the sharing in the means of grace. Witness to the unity of the Church generally forbids common worship, but the grace to be had from it sometimes commends this practice.'[175] It is tempting to allow one principle to dominate the other, either to exclude sacramental sharing altogether, or to allow a great deal of such sharing. Catholic teaching insists that the two basic principles must always be taken into account together. They are, in fact, complementary.

"receiving the Body and Blood of the Lord is vital for our life of grace"

91 We are a pilgrim people, struggling at all times to move from sinfulness to holiness. We come to the Eucharist knowing that we are unworthy, but trusting in the Lord's word of healing forgiveness and in his power to transform and renew us. The Eucharist is spiritual food for the baptised, enabling us 'to overcome sin and to live the very life of Christ'.[176] In St John's Gospel, Jesus teaches us: 'unless you eat the flesh of the Son of Man and drink his blood, you have no life in you'.[177] Being nourished by the new manna of the Bread of Life is as vital to our spiritual pilgrim journey as was nourishment by the old manna for the pilgrim people of Israel in the

174 *Directory for the Application of Principles and Norms on Ecumenism*, no. 129.
175 Second Vatican Council, *Decree on Ecumenism*, no. 8 (as translated in *The Documents of Vatican II*, edited by Walter M. Abbott SJ, London and Dublin, 1966).
176 *Directory for the Application of Principles and Norms on Ecumenism*, no. 129.
177 *John* 6.53.

wilderness.[178] The Eucharist is the heart of the Christian life, and receiving the Body and Blood of the Lord is vital for our life of grace. 'As the sacrament of full union with Christ and of the perfection of the spiritual life, the Eucharist is necessary to every Christian. ... Any baptised person has a spiritual need for the Eucharist.'[179] We should not be surprised when Christians who are living intensely the life of grace feel a compelling need for the food of eternal life.[180]

92 This spiritual need of every Christian is something deeply personal, but never private. Holy Communion is spiritual food which unites a Christian to Jesus Christ, but it 'is far from being simply a means of satisfying exclusively personal aspirations, however lofty these may be. The union brings about the union of the faithful themselves with each other.'[181] Spiritual nourishment is always 'ecclesial': it involves the visible community of the Church. The Jews received the manna from heaven as God's chosen community. We are fed today with Christ, the Bread of Life, through and in the Body of Christ, the Church, and as members of that Church. Sharing Catholic sacramental life always involves communion with the visible Catholic Church, even for other Christians when, in situations of grave and pressing need, they are admitted to the sacraments. 'Spiritual need of the Eucharist is not therefore merely a matter of personal spiritual growth: simultaneously, and inseparably, it concerns our entering more deeply into Christ's Church, "which is his body, the fullness of him

"spiritual nourishment is always ecclesial"

---

178 Cf. *Exodus* 16.13f.
179 Secretariat for the Promotion of Christian Unity, *Instruction on admitting other Christians to Eucharistic Communion in the Catholic Church* (1972), no. III.1; IV.
180 Cf. Secretariat for the Promotion of Christian Unity, *Instruction on admitting other Christians to Eucharistic Communion in the Catholic Church* (1972), no. III.2.
181 Secretariat for the Promotion of Christian Unity, *Instruction on admitting other Christians to Eucharistic Communion in the Catholic Church* (1972), no. III.2.

who fills all in all" (*Ephesians* 1.23).'[182] Our communion with one another in love and in truth is an essential dimension of our communion with the Lord. What, then, do we mean by a spiritual need to be admitted to Holy Communion? It is both 'a need for an increase in spiritual life and a need for a deeper involvement in the mystery of the Church and of its unity.'[183] All of this is as important for Catholics regularly receiving Communion as it is for other Christians asking to be admitted to Communion.

"only the full reconciliation of Christians can make formal the full sharing together of the Sacrament of Unity"

93 Whatever exceptional sharing may be possible, only the full reconciliation of Christians can make normal the full sharing together of the Sacrament of Unity. We can see from the *Acts of the Apostles* that the Eucharist is shared by those who have received the same baptism and who live together in visible communion, sharing the same faith.[184] St Paul vigorously reminded the Corinthian Christians of the essential link between the 'one body' and the 'one bread'.[185] His account of the Last Supper is set in the context of concern about divisions when Christians assembled together, and about justice for the poorer members of the community. He warned the Corinthians that 'anyone who eats and drinks without discerning the body eats and drinks judgement upon himself.'[186] 'Discerning the body' refers both to Christ's eucharistic body (Holy Communion) and to his ecclesial body (the Church), with its faith, sacraments and its ordained ministry. The tradition of the early, undivided Church always made sharing fully the same faith the

182 Secretariat for the Promotion of Christian Unity, *Instruction on admitting other Christians to Eucharistic Communion in the Catholic Church* (1972), no. III.3.
183 Secretariat for the Promotion of Christian Unity, *Instruction on admitting other Christians to Eucharistic Communion in the Catholic Church* (1972), no. IV.2.
184 *Acts of the Apostles* 2.42-47.
185 *1 Corinthians* 11.17-34.
186 *1 Corinthians* 11.29.

condition for sharing fully the same Eucharist.[187] The *Directory* reminds us, 'Eucharistic communion is inseparably linked to full ecclesial communion and its visible expression.'[188] The gift which Christ offers us through his Church is ultimately union with himself in the fullness of that faith, hope and love which constitutes the Body of Christ. This is an understanding of the Eucharist which as Catholic bishops we wish to reaffirm strongly.

94 When we come forward to receive Holy Communion at the Eucharist, we are not lining up as isolated individuals, couples, families or groups to be nourished and sustained for our Christian lives. We come forward together as the Body of Christ to receive the Body of Christ. We receive the Body of Christ so that we may be more truly together the Body of Christ in the world. As St Augustine of Hippo reminded us, at the Eucharist we receive what we are, and we become what we receive: 'You reply "Amen" to that which you are, and by your reply you consent. For you hear "the Body of Christ" and you reply "Amen". Be a member of the Body of Christ so that your "Amen" may be true.'[189]

"we receive what we are, and we become what we receive"

187 Cf. Note from the Episcopal Commission for Unity to Catholic priests and faithful concerning Eucharistic hospitality with Christians of Reformation Churches in France, March 1983.
188 *Directory for the Application of Principles and Norms on Ecumenism*, no. 129.
189 *Sermon* 272.

Part 4: General Norms

Introduction

95 The *Directory* strongly recommends that each diocesan bishop should establish norms for judging situations of grave and pressing spiritual need when Christians not in full communion with the Catholic Church may be admitted to Holy Communion and to the sacraments of Reconciliation and Anointing of the Sick. These norms should take into account any which may have been established already by the Bishops' Conference. In the absence of norms established either by the diocesan bishop or by the Bishops' Conference, Catholic priests are to follow those of the *Directory*. In order to guide Catholic pastors in our countries, our Bishops' Conferences now establish norms on this important matter. There are two sets of norms: one concerning Christians from Eastern Churches, the other concerning Christians from Churches and ecclesial communities of the West. Catholic priests are to discern each individual case only in accord with the norms established by their diocesan bishop, or, in the absence of such diocesan norms, those which the Bishops' Conferences of England and Wales, Ireland, and Scotland promulgate in this document, each for its own territory.

96 According to the teaching of the Second Vatican Council, the doctrine that 'common worship' should signify the unity of the Church generally rules out sacramental sharing, but the gaining of grace may sometimes commend it.[190] The then Secretariat for the Promotion of Christian Unity established norms for such sharing in several documents, including the *Ecumenical Directory* (1967), the *Instruction on admitting other Christians to Eucharistic Communion in the Catholic Church* (1972), and a *Note interpreting the 'Instruction on admitting other Christians to Eucharistic Communion*

---

190 Second Vatican Council, *Decree on Ecumenism*, no. 8.

under certain circumstances' (1973). The current *Directory for the Application of Principles and Norms on Ecumenism* (1993) refers to the second and third of these documents in the establishing of norms.[191] Canon 844 of the *Code of Canon Law*, canon 671 of the *Code of Canons of the Eastern Churches*, and articles 104, 122-125, 129-132 and 159-160 of the *Directory* form the foundation of the norms which we establish in this document. We also refer our Catholic community to the *Catechism of the Catholic Church* (nos. 1398-1401) and to Pope John Paul's encyclical letter *Ut unum sint* (no. 46).

97 The question of sacramental sharing is a serious one, and a proper understanding of the issues involved is a matter of urgency. This is true not only in our own countries, but in many parts of the world. It is not merely a local question, or one relevant only to situations brought about by sectarian bigotry. It has been a serious issue from the first days of Catholic involvement in the ecumenical movement, and now often takes centre stage in our meetings and gatherings together. There have been strong appeals from the leaders of other Christian communities, from Catholics and other Christians involved in ecumenical activities and events, and from wives and husbands involved in inter-church marriages, for a more open approach by the Catholic Church to the admission of other Christians to Holy Communion.

98 We are aware that ministers in other Christian communities often invite all baptised Christians in good-standing with their own churches, including Catholics, to come forward for Communion. Some Catholic priests have acted outside the prescribed norms and invited other Christians to receive Communion, on occasion even issuing an open invitation. There are Catholics who do not see the difficulty in receiving communion at the Eucharist of another Christian denomination; some have

191 *Directory for the Application of Principles and Norms on Ecumenism*, no. 130, footnote 135.

alternated, for example, between receiving communion at Catholic and Anglican Sunday services. In these ways, Catholic teaching about the Eucharist, and the discipline that reflects this, has been either ignored or judged negatively against the practice of 'open Communion' by others.

"remain faithful to the discipline of our Church ... mutual respect is an essential courtesy as we journey together in Christ"

99 There is clearly need for greater catechesis on the meaning of the Eucharist. We hope this document will help Catholics and our fellow Christians to a deeper understanding and acceptance of Catholic teaching and discipline on this matter. It is precisely our own desire for the full communion of all Christians, as well as our fidelity to Catholic doctrine on the nature of the Church and the meaning of the Sacraments, which make us appeal to Catholics to remain faithful to the discipline of our Church. We appeal also to our brothers and sisters in other Christian communities, and to their pastoral leaders, to respect that discipline, just as we seek to respect the liturgical and sacramental discipline of other communities.[192] Such mutual respect is an essential courtesy as we journey together in Christ.

"a source of great joy"

100 We recognise, however, the growth of unity and mutual understanding between Christians in recent decades. Although 'it is not yet possible to celebrate together the same Eucharistic Liturgy', increasingly we speak together to the Father 'with one heart' in a degree of communion with each other which would have been unimaginable a century ago.[193] This new context means that we can look at our ancient faith and current practice in a renewed way, with new possibilities opening up before us. It is in this light that, as Catholic bishops, we gladly echo the words of Pope John Paul II: 'It is a source of great joy to note that Catholic ministers are able, in certain particular cases, to administer the sacraments of

192 *Directory for the Application of Principles and Norms on Ecumenism*, no. 107.
193 Pope John Paul II, Encyclical *Ut unum sint*, no. 45.

Eucharist, Reconciliation and Anointing of the Sick to Christians who are not in full communion but who greatly desire to receive these sacraments, freely request them and manifest the faith which the Catholic Church professes with regard to these sacraments.'[194]

101 At the same time, such sharing can only be 'by way of exception'.[195] The Codes of Canon Law and the *Directory* do not allow regular reception of Holy Communion by Christians not in full communion with the Catholic Church. For the doctrinal reasons which run through this document, our starting-point is the canon that 'Catholic ministers may lawfully administer the sacraments only to Catholic members of Christ's faithful, who equally may lawfully receive them only from Catholic ministers'.[196] Exceptions to this are allowed for by the same canon, and it is to those that our norms are addressed.[197]

---

194 Pope John Paul II, Encyclical *Ut unum sint*, no. 46.
195 *Directory for the Application of Principles and Norms on Ecumenism,* no. 129.
196 *Code of Canon Law,* can. 844.1; *Code of Canons of the Eastern Churches,* can. 671.1.
197 *Code of Canon Law,* can. 844.2-5; *Code of Canons of the Eastern Churches,* can. 671.2-5.

Sacramental sharing with Christians from Eastern Churches

Norm on the admission of Christians from Eastern Churches

102 Catholic ministers may lawfully admit to Holy Communion, and to the sacraments of Reconciliation and the Anointing of the Sick, members of the Eastern Churches not in full communion with the Catholic Church, if they spontaneously ask for these sacraments and are properly disposed.[198]

Commentary

"an almost total communion" 103 Between the Catholic Church and the Eastern Churches not in full communion with it, there is a very close communion in matters of faith. Pope Paul VI spoke of there being 'an almost total communion'.[199] These Eastern Churches 'possess true sacraments, above all - by apostolic succession - the priesthood and the Eucharist, whereby they are still linked with us in closest intimacy.'[200] These fundamental bonds of faith, sacraments and ministry allow the Catholic Church to permit and even recommend some sharing in liturgical worship, even the Eucharist, with these Churches, 'given suitable circumstances and the approval of the Church authority'.[201] In this, proper respect should be given to the discipline of the Eastern Churches for their own faithful, and any suggestion of proselytism should be avoided.

---

198 *Code of Canon Law*, can. 844.3; cf. Second Vatican Council, *Decree on Eastern Catholic Churches*, no. 26.
199 Quoted in Secretariat for the Promotion of Christian Unity, *Instruction on admitting other Christians to Eucharistic Communion in the Catholic Church* (1972), no. V.
200 Second Vatican Council, *Decree on Ecumenism*, no. 15.
201 Second Vatican Council, *Decree on Ecumenism*, no. 15.

Norm on Catholics approaching ministers of the Eastern Churches

104 Whenever necessity requires or a genuine spiritual advantage commends it, and provided that the danger of error or indifferentism is avoided, it is lawful for any Catholic for whom it is physically or morally impossible to approach a Catholic minister, to receive Holy Communion, or the sacraments of Reconciliation and Anointing of the Sick, from a minister of an Eastern Church not in full communion with the Catholic Church.[202]

Commentary

105 It is comparatively rare for Catholics in our countries to seek to share in the sacraments of the Eastern Churches. The Catholic Church permits such participation on certain conditions, but it is very important that Catholics carefully respect the discipline of those Churches which may not allow such sacramental sharing.[203]

---

202 *Code of Canon Law*, can. 844.2; *Code of Canons of the Eastern Churches*, can. 671.2; *Directory for the Application of Principles and Norms on Ecumenism*, no. 123; cf. Second Vatican Council, *Decree on Eastern Catholic Churches*, no. 27.

203 *Directory for the Application of Principles and Norms on Ecumenism*, no. 124.

Sacramental sharing with Christians from other Churches and ecclesial communities

Norm on the admission of Christians from other Christian faith communities

106 **Admission to Holy Communion and to the sacraments of Reconciliation and Anointing of the Sick may be given to baptised Christians of other faith communities if there is a danger of death, or if there is some other grave and pressing need. This may at times include those who ask to receive them on a unique occasion for joy or for sorrow in the life of a family or an individual. It is for the diocesan bishop or his delegate to judge the gravity of the need and the exceptional nature of the situation. The conditions of Canon Law must always be fulfilled. The exceptional nature and purpose of the permission should be made clear, and appropriate preparation should be made for the reception of the sacrament.**[204]

Commentary

"by way of exception and under certain conditions"

107 The Catholic Church recognises that in particular circumstances, by way of exception and under certain conditions, admission to Holy Communion and to the sacraments of Reconciliation and Anointing of the Sick may be permitted, or even commended, for Christians belonging to communities not in full communion with the Catholic Church. The norms we establish apply to individual cases rather than categories of situations. When applying these norms to a particular case, there is no intention to present that case as a type or precedent for other apparently similar cases. In other words, a specific and particular case is being acted upon rather than a category being created. Each individual case in which admission is sought must be examined on its own merits.

204 *Code of Canon Law*, can. 844.4; *Directory for the Application of Principles and Norms on Ecumenism*, cans. 129-131.

108 In what particular circumstances might admission to the sacraments be allowed? The *Directory* gives general permission in one case only: danger of death. In other cases, a discernment of the situation of the individual has to be made. The general description of such need is that it be 'grave and pressing'. What, then, would be examples of such 'grave and pressing need'? The 1967 *Ecumenical Directory* highlights people suffering persecution or in prison, but also mentions 'other cases of such urgent necessity'.[205] A later document made clear that such cases are not limited to situations of suffering and danger. Christians not in full communion with the Catholic Church could find themselves 'in grave spiritual necessity and with no chance of recourse to their own community', such as when scattered in predominantly Catholic regions.[206] The Church's law requires the need to be both grave *and* pressing. Such a need is more than a passing desire, or something arising simply from the sadness of feeling left out in a particular celebration.

109 What do we mean by a 'unique occasion' in the life of a family or an individual? We are thinking of an occasion which of its nature is unrepeatable, a 'one-off' situation at a given moment which will not come again. This may well be associated with the most significant moments of a person's life, for example, at the moments of Christian initiation (Baptism, Confirmation, First Communion), Marriage, Ordination and death.

110 The *Directory* also envisages that a grave and pressing need may be experienced in some mixed marriages. This is the only circumstance explicitly added to those mentioned in previous documents. Precisely because of problems concerning Eucharistic sharing which may arise from the presence of other Christians, it is envisaged that a mixed marriage will usually be

"grave and pressing need"

---

205 No. 55.
206 Secretariat for the Promotion of Christian Unity, *Instruction on admitting other Christians to Eucharistic Communion in the Catholic Church*, no. VI.

celebrated outside Mass. In our countries, the bishops have given consent to the celebration of such a marriage within Mass, when it seems appropriate to the couple and to the presiding Catholic minister. If a large number of people belonging to different Christian traditions is to be present, the fact that they cannot receive Holy Communion needs to be considered. They should, however, be invited to participate in every other way they can, and the priest or deacon should encourage them to do so.[207]

111 The decision whether the bride or groom who is not a Catholic may be admitted to Eucharistic communion must always be made in keeping with the general norms regarding the conditions for such admission, 'taking into account the particular situation of the reception of the sacrament of Christian marriage by two baptised Christians.'[208] As we stated earlier, the sharing together of the sacraments of baptism and marriage creates a sacred bond between husband and wife, and places the couple in a new relationship with the Catholic Church. The spouse who is not a Catholic remains, however, someone who is not in full communion with the Catholic Church, and for this reason the *Directory* stresses that 'Eucharistic sharing can only be exceptional'.[209] Even when the bride or groom is indeed admitted to Holy Communion at a 'Nuptial Mass', it is not envisaged that this be extended to relatives and other guests not in full communion with the Catholic Church.

"other unique occasions for joy or sorrow in the life of a family or individual"

112 What might be meant by other unique occasions for joy or sorrow in the life of a family or an individual? These are situations in which there may be an objectively grave and pressing spiritual need for a person to receive Holy Communion. We give examples of such

207 Cf. Bishops' Conference of England and Wales, *Mixed Marriages, Revised Directory* (1990), norm 9.
208 *Directory for the Application of Principles and Norms on Ecumenism*, no. 159.
209 *Directory for the Application of Principles and Norms on Ecumenism*, no. 160.

circumstances, without in any way intending to suggest categories of situations in which admission to the sacrament would be generally granted. The admission of a particular individual on one such unique occasion does not mean that another individual would necessarily be admitted in a similar situation. Requests to be admitted to Holy Communion may come from the parent of a child to be baptised during Mass, or receiving First Holy Communion or Confirmation; the parent or wife of someone being ordained;[210] the intimate family of the deceased at a Funeral Mass; Christians who cannot easily approach a minister of their own community, such as those confined to an institution of some kind, although most hospitals and prisons in our countries have Anglican, Presbyterian, Church of Scotland and Free Church chaplains who minister there on a regular basis. There may be occasions when it is admission to the sacraments of Reconciliation and Anointing of the Sick which is the most grave and pressing spiritual need, due in part to the absence of such sacramental rites in some faith communities. Each situation will be judged individually according to the norms.

113 Who is to make the decision in each case? Except when there is a danger of death, it is for the diocesan bishop or those delegated by him to judge whether there is a grave and pressing need. When an individual Christian decides, after prayer and reflection, that he or she should approach the local priest about their circumstances, the latter must also make a discernment about whether this should be brought to the local bishop or his delegate for a decision. A Catholic priest may not make such a decision himself unless duly delegated by his bishop.

---

210 Besides the parents of ordinands, this may also include the wives of permanent deacons or of former Anglican priests being ordained to the Catholic priesthood.

114 What conditions must always be fulfilled? The *Code of Canon Law* lists four conditions which are re-stated in the *Directory*:[211]

• **that the person be unable to approach a minister of his or her own community for the sacrament desired;**

In our countries, occasions when such fellow Christians cannot physically find a minister of their own community will be rare. There may be times, however, such as in the particular circumstances or on the unique occasions exemplified above, when access to one's own minister is impossible given the very nature of that occasion.

• **that the person greatly desire to receive the sacrament, and ask to receive it of his or her own initiative;**

The grave and pressing spiritual need should be something discerned by the person concerned, rather than in response to an invitation given by the Catholic priest. Priests and other Catholic ministers should issue neither general nor specific invitations to other Christians to receive Holy Communion. It is important that there be adequate time for the proper process of discernment and judgement, and for appropriate preparation for reception of the sacrament.

• **that the person manifest Catholic faith in the sacrament desired;**

In this document we have given an outline of the fundamental aspects of Catholic faith in the

---

211 *Code of Canon Law*, can. 844.4; *Code of Canons of the Eastern Churches*, can. 671.4; *Directory for the Application of Principles and Norms on Ecumenism*, no. 131.

Eucharist, and to a lesser extent of Catholic faith in the sacraments of Reconciliation and Anointing of the Sick. For a Christian who does not regularly worship at a Catholic church, being a frequent communicant at his or her own church may well indicate a love for the Eucharist. Others may regularly attend a Catholic celebration of the Eucharist, with their Catholic spouse or family for example, and this may speak loudly of a commitment to the Eucharist. It does not necessarily follow, however, that their understanding of the Eucharist and its implications is in harmony with that of the Catholic faith.

• **that the person be properly disposed.**

The same is asked of a Christian not in full communion with the Catholic Church as is expected of a Catholic wishing to receive the sacraments. There are Catholics who are unable to receive Holy Communion because of their being, for example, in a state of serious sin or in an irregular marital situation; the same may be true of another Christian seeking admission to Holy Communion. The Eucharist is an awesome and holy gift of God to his Church: it should be approached with reverence and great care as we seek to welcome the living Lord into the temple of our lives.

115 Catholic priests should treat with kindness and sensivity other Christians who seek admission to these sacraments, welcoming them with pastoral love even when their request cannot be granted. Asking a few simple questions can help to discern the situation in each individual case. What is the nature of the person's spiritual need? Are all of the necessary conditions fulfilled? What special circumstances prevent the person from approaching a minister of his or her own

"welcoming them with pastoral love even when their request cannot be granted"

community? What is unique about this particular moment or occasion? Is there sufficient faith in the sacrament desired? That is, does the person believe in general terms what the Catholic Church believes, and certainly not deny the essentials of Catholic belief in the particular sacrament? Is he or she properly disposed, a person not in a state of serious or scandalous sin and ready to approach the sacrament with humility and reverence? Is he or she open to the growth of visible unity among Christians? Such careful discernment is very important, as the sacraments should not be denied to those whom the present law of the Church allows to receive them.

Norm on Catholics approaching ministers of other Churches and ecclesial communities

116 Whenever necessity requires or a genuine spiritual advantage commends it, and provided the danger of error or indifferentism is avoided, Christ's faithful for whom it is physically or morally impossible to approach a Catholic minister may lawfully receive Holy Communion, and the sacraments of Reconciliation and Anointing of the Sick, from ministers in other faith communities whose sacraments are accepted as valid by the Catholic Church.[212]

Commentary

117 Whereas in the case of the Eastern Churches, it is lawful for Catholics to receive the sacraments in such situations from a minister of an Eastern Church, this is not the case with those Christian communities which find their roots in the Reformation. A Catholic seeking these sacraments must do so 'only from a minister in whose Church these sacraments are valid and from one who is known to be validly ordained according to the Catholic teaching on ordination.'[213] For historical and theological reasons, there are special difficulties with regard to Anglican orders. These remain unresolved in spite of what some see as a change of circumstances in the twentieth century, for example through achievement of reaching some important agreement between Catholics and Anglicans on the nature of ordained ministry. We are very much aware that this is a sensitive question, and one which can be a source of hurt to ministers of communities with whom we seek to work as friends in the name of Christ. However, we have to say to members of the Catholic community in our countries that it is not permissible for Catholics to receive Holy Communion, or

---

212 *Code of Canon Law*, can. 844.2; *Directory for the Application of Principles and Norms on Ecumenism*, no. 132.
213 *Directory for the Application of Principles and Norms on Ecumenism*, no. 132.

the sacraments of Reconciliation and Anointing of the Sick, from ministers of the Anglican Communion (the Church of England, the Church of Ireland, the Church in Wales, the Scottish Episcopal Church), the Church of Scotland or of other faith communities rooted in the Reformation. It is for this reason that exceptional sacramental sharing between the Catholic Church and these faith communities cannot be reciprocal, whereas this is sometimes a real possibility with the Eastern Churches not in full communion with the Catholic Church [see earlier, no. 41].

'May we all be one'

118 Many will have hoped for encouragement of greater sacramental sharing. Others will think we have gone too far. We too are conscious of the difficulties of not being able to share one table of the Lord with our brothers and sisters in Christ. As Christians together, we walk in pilgrimage towards the Father, still deeply wounded by our lack of full communion in faith. The fundamental principle which underlies our norms, is that 'the Eucharist is properly the sacrament of those who are in full communion with the Church.'[214] It is important that Catholics themselves understand this doctrine. We appeal in love and in truth to the whole Catholic community in our countries for their faithfulness to the deepest meaning of the Mass. Our norms are also rooted in our desire for the full visible unity of all Christians. We echo the words of Pope John Paul: it is precisely 'for the sake of furthering ecumenism' that we appeal for our norms to be respected.[215]

"the Eucharist is properly the sacrament of those who are in full communion with the Church"

119 We bishops have addressed together the situation in our countries at this moment, open to the spiritual needs expressed by others and yet at the same time faithful to the Catholic understanding of the Church and the Eucharist, and to the discipline of the Catholic Church. As the *Catechism of the Catholic Church* suggests, 'The more painful the experience of the divisions in the Church which break the common participation in the table of the Lord, the more urgent are our prayers to the Lord that the time of complete unity among all who believe in him may return.'[216] We know only too well that the Catholic Church's understanding of itself and our convictions about who may and may not be admitted to Holy Communion can and do cause distress both to

"unity in Christ is unity both in truth and in love"

214 *Catechism of the Catholic Church*, no. 1395.
215 Pope John Paul II, Encyclical *Ut unum sint*, no. 46.
216 *Catechism of the Catholic Church*, no. 1398.

other Christians and to some Catholics.[217]   It is not, however, the Church's norms on sacramental sharing which cause division: those norms are simply a reflection and consequence of the painful division already present because of our Christian disunity. People often ask, 'What would Jesus do?', implying that he would offer the gift of himself to anyone who asked. Jesus himself was often the cause of division. His will was that all be one, but his teaching and actions led to people going away from him. This was even true of his 'hard saying' on the Bread of Life.[218]   Unity in Christ is unity both in truth and in love.

120 We are fully committed to our common pilgrim path towards reconciliation and full visible unity as Christians. As stated in the *Swanwick Declaration* in 1987, our earnest desire is to become more fully, in God's own time, the one Church of Christ, 'united in faith, communion, pastoral care and mission.' We rejoice at the growth of understanding and deepening of communion between us. At the same time, however, no far-reaching progress will be made unless we recognise that serious matters still divide us and respect the sincerely held convictions of one another. We are deeply grateful to our friends in other Christian traditions who with great understanding and patience respect the disciplines of our Church.

"the link between the 'Body of Christ' which is the Eucharist and the 'Body of Christ' which is the Church is very profound"

121 These norms on sacramental sharing are a reflection in practice of the Catholic Church's self-understanding and Eucharistic faith presented in the earlier part of our document. They are intimately connected with our sense of identity as Catholics. The link between the 'Body of Christ' which is the Eucharist and the 'Body of Christ' which is the Church is very profound. We hope that common study of these difficult questions may lead

217 Cf. Bishops' Conference of England and Wales, *Mixed Marriages: Revised Directory* (1990), p. 6.
218 Cf. *John* 6.60f.

to a deeper understanding of the nature of the Church, and bring nearer the day when we can come together united in faith at one Eucharist. Let us walk together towards that day when we can truly say together one great 'Amen' to the whole mystery of the Eucharist, to the Body of Christ given for us and the Blood of the Lord poured out for us. Our prayer to the Father is the same today as that expressed in one of the very earliest Christian writings, the *Didache*:

> *As this broken bread, once dispersed over the hills,*
> *was brought together and became one loaf,*
> *so may your Church be brought together*
> *from the ends of the earth*
> *into your Kingdom.*[219]

---

219 *Didache*, no. 9.4.

Index of Subjects

numbers refer to paragraphs rather than pages

Adoration, Eucharistic	55
Anointing of the Sick	68, 73-75
Amen	27-29, 37, 44, 47, 52, 55, 67, 94
Baptism	14, 17-18, 22, 64, 79, 93, 111
Benediction	55
Bishops and Pope, unity with	57, 59, 61-63
'Blessing'	43, 84
Catholic Church	20-21, and throughout
Chalice, receiving from	52
Christ	throughout
Church	throughout
Communion (*koinonia*)	12f, 20-22, 56-65 and throughout
Communion, letters of	63
Communion of saints	13, 65
Communion services	31
Communion, spiritual	43, 84
Confession	68-72, 75
Covenant	24-26
Daily Mass and Communion	54
Dead, Eucharist offered for	36
Divorced and separated	42, 87-88
Eastern Churches	102-105
Ecumenical situation	5-7, 22, 76-78, 97, 100, 120
Eucharist	throughout
Exposition of the Bl. Sacrament	55
Fermentum	61
Holy Spirit	throughout
Justice	66-67, 93

Last Supper	25-26, 32-33, 93
Marriage	5, 79-88, 110-111
Mass	throughout
Mixed & interchurch marriages	79-86, 110-111
Memorial	32-34
Mission	66
Missa Normativa	38-39
Norms on sacramental sharing	8, 95-121
Ordination, validity of	41, 116-117
Pain	6, 76f, 119
Participation, forms of	42-43, 84-86
Passover	26, 32-33
Poor, the Eucharist and	66-67, 93
Pope and Bishops, unity with	57, 59, 61-63
Priest	40-41, 103, 117
Real Presence	45-55
Reception into Full Communion	64
Reciprocity	41, 117
Reconciliation, sacrament of	68-72, 75
Reservation	55
Sacrament	9, 15f
Sacrifice	30f
Salvation	11f,
Scripture, the Eucharist and	23-26
Separated and divorced	42, 87-88
Spiritual need	89-94, 108-110
Sunday Mass	54
Transubstantiation	49-51
Trent, Council of	32, 38, 39, 50
Word of God, Eucharist and	23-26